KB182793

푸른 섬 나의 삶

푸른 섬 나의 삶

서울 여자의 제주 착륙기 / 조남희 지음

오마이북

다녀오겠습니다. 이 한마디 던져두고 떠났다.

언제 돌아올지 나도 모르는 길을.

푸른 섬에서 날마다 울고 웃었다.

나의 삶은 설렘과 두려움이 버무려져서 알 수 없는 맛이 났다.

가끔 아팠고, 많이 걸었고, 삶은 지속되었다.

바다와 바람, 오름, 외로움, 그리고 당신과 함께.

차례

△ 푸른 섬 길 위에 삶은 이어지고

그
오
름
의

바
람
을

찾
아

몸국

돼지육수에 해조류인 모자반을 넣고 팔팔 끓인
제주 토속 음식. 제주에서는 이 모자반을 '몸'이라 부른다.
밥 한 그릇 말아서 걸쭉하고 개운하게 즐기면 든든함 그 자체.
외지인의 호기심을 자극하는 그 이름도 별미.

한라산소주

한라산소주는 도수가 높은 편인데 마셔도
왜 안 취할까? 제주도 바람을 담아서일까?
하지만 이상하게도 서울에 가져가서 먹으면
금방 취한다.

근고기

제주의 돼지고기는 근고기가 갑이다.
육즙이 가득한 그 두툼함에 반할 수밖에 없으니까.
근고기는 인내심도 가르친다.
다 익기 기다리려면 시간이 필요하니까.
멜젓(멸치젓)에 찍어 먹어야 진짜!

물외냉국

제주는 옛날부터 된장을 이용해
간단히 만드는 음식이 많다.
물외냉국도 그중 하나.
찬물에 생된장과 식초를 넣고
물외(노각)를 썰어 넣는 것이 전부지만
여름에 땀 흘리며 밭일 하다가
시원하게 마시는 그 맛은 먹어본 사람만 안다.

갈치국

갈치를 국으로 먹는다?
생각만 해도 비릴 것 같지만
호박, 배추 잎, 두툼한 갈치가
만들어내는 시원한 맛은
정말 일품.
하나도 비리지 않다.
해장에 최고!

30대의 나에게 미안하긴 싫어

☆

여기는 제주도 서귀포시 안덕면 대평리에 있는 우리 집. 벽에 기대 책을 읽고 있자니 자꾸 진동이 느껴져 영 집중이 안 된다. 창문 밖 바람 소리가 사람을 심난하게 만든다. 아차, 양초 사는 걸 잊었다. 지난번처럼 온 동네가 정전이 될지도 모르는데. 이번에 온 놈은 태풍 산바. 제주로 '이민' 온 후 벌써 세 번째 맞는 태풍이다.

제주에서 처음 겪은 두 번의 태풍을 아직 잊지 못한다. 태풍 볼라벤에 이어 찾아온 덴빈의 비바람은 실로 엄청났다. 바람이 잠잠해진 뒤 밖으로 나가 보니 집 근처 아스팔트 도로가 여기저기 패어 있었다. 공사장 펜스도 어디로 날아갔는지 자취를 감췄고 큰길 곳곳 신호등이 허리를 꺾여 운명을 다한 채 널브러져 있었다. 서울에선 보기 힘든 풍경

들. 지금 내가 있는 곳이 제주라는 게 실감이 났다.

그 길을 따라 안덕면사무소로 향했다. 전입신고서를 내민 지 5분도 안 돼 운전면허증 뒷면에 제주도 주소 한 줄이 추가되었다. 2012년 8월 31일, 나는 그렇게 '제주도민'이 됐다.

이때가 내 나이 서른셋. 서울에서 나고 자란 평범한 직장인이었던 나는 서울을 벗어나 살았던 적이 거의 없다. 대학생 시절에 중국에서 1년간 어학연수를 한 경험이 전부였다.

☆

서귀포의 작은 어촌마을 대평리. 전입신고를 하기 보름 전쯤 이곳에 집을 구했다. 대평리는 크고 넓은 들판이라는 뜻의 '난드르'라는 옛 지명을 가진 마을이다. 안덕계곡을 따라 구불구불한 도로를 넘어가면 숨어 있던 작은 대평리 마을이 활짝 펼쳐진다. 마을 길을 따라 걷다 보면 작은 포구가 나오고 좀 더 걸어 들어가면 대평리 풍광이 한눈에 들어오는 절벽, 박수기정으로 통하는 길이 있다. 올레길 8코스 끝자락에 있는 마을이다.

한동안 이 마을 게스트하우스에 오래 머물다가 드디어 살 집을 구했지만 갑자기 혼자 지내려니 어색했다. 더구나 필요한 물건들을 장만하고 새집에 익숙해질 틈도 없이 나를 기다리는 엄청난 것이 있었으니 바로 태풍이었다.

볼라벤과 덴빈이 서귀포를 강타했을 때 나는 피난 아닌 피난을 가야 했다. 낯선 집에서 홀로 무시무시한 태풍을 견디는 일은 '육지 것'인 내게 아직은 무리였다. 간단한 짐을 싸들고 여름마다 문턱이 마르고 닳도록 드나들었던 게스트하우스로 몸을 피했다.

제주의 태풍은 겪어보지 않으면 모른다. 그날도 살벌한 비바람 소리와 함께 무시무시한 밤이 시작되었고 지붕의 일부가 깨져나가면서 공포로 변했다. 천장과 창틈으로 새어 들어오는 빗물 탓에 게스트하우스 바닥은 흥건해졌다. 창문이 깨질까 봐 〈영남일보〉, 〈코리아헤럴드〉, 〈서귀포신문〉을 펼쳐 마구 덧댔다. 마침 정치면에 등장한 박근혜와 김문수의 찢어진 얼굴 사진이 모자이크처럼 이어졌다. 수다와 비명 속에 보낸 쾡한 밤이었다.

☆

직장 생활 5년 차로 접어들 무렵 훌쩍 혼자 떠났던 제주 여행. 지금처럼 동네마다 게스트하우스가 본격적으로 들어서기 전이었다. 올레길을 걷거나 자전거로 일주하는 여행자도 많았는데, 나는 초보운전인 주제에 겁도 없이 차를 빌려 섬 전체를 종횡무진 달렸다.

점심은 제주시에서 한라산소주에 멍게와 소라를 먹고, 저녁은 서귀포로 내려와 모슬포의 횟집을 찾아가는 식이었다. 서울에서 올림픽대로와 강변북로를 타고 잠실에 있는 집과 용산에 있는 회사를 출퇴근하던 것과 비슷한 거리인데도 기분은 전혀 달랐다. 이런 게 바로 여행과 일상의 다른 점일까? 막상 제주에 정착해 일상이 되고 보니 대평리에서 한 시간을 운전해 40킬로미터 떨어진 제주시까지 한 번씩 나갔다 오는 게 큰일로 느껴지니 말이다.

그 후로 나는 서울이 답답하게 느껴질 때마다 틈만 나면 제주행 비행기 표를 끊었다. 금요일에 갔다가 일요일에 오는 한이 있어도 무조건 갔다. 그리고 어느새 여행의 패턴이 굳어져갔다. 흘러 흘러 인연이 닿아 머물렀던 대평리가 편하게 느껴지자 아예 마을 밖으로 한 발짝도 떼지 않은 채 머무르곤 했다.

그러다 서울로 돌아갈 비행기 시간이 다가오면 주변 사람까지 초조해질 정도로 어쩔 줄 몰라 했다. 도축장으로 끌려가는 소처럼 눈물을 뚝뚝 흘리기도 했다. 그런 나를 보고 게스트하우스 주인장 언니들은 "서울 가면 누가 때리냐"며 놀려댔다. 물론 그런 사람은 없었다. 도돌이표 같은 숨 막히는 생활에 마침표를 찍고 싶을 뿐이었다.

☆

사표를 던지기 직전, 직장 생활 7년 동안 무엇이 남았나 생각해봤다. 허울 좋은 명함, '소맥'(소주와 맥주를 섞어 만든 술)을 제조하는 갖가지 기술과 황금 비율을 파악하는 감각, 만성적인 스트레스와 어깨 통증, 그리고 뱃살. 물론 7년을 그저 놀진 않았으니 해를 넘기면 진급이 확실했고 연봉은 어느덧 5000만 원을 넘어섰다.

표면적으로 볼 때 나는 안정적인 회사에서 적지 않은 연봉을 받으며 잘 살아가는 서울 여자였다. 하지만 나는 행복하지 않았다. 일요일 저녁이 되면 어김없이 홍대 부근 어느 술집에서 소주 한잔을 앞에 두고 똑같은 대사를 외치고 있었다.

"선배, 출근하기 싫어서 정말 미치겠어요."

"휴…… 나도 그래."

아침에 눈을 뜨면 출근을 하고, 저녁에는 야근을 하거나 회식을 하고, 집에 와서 잠깐 눈 붙이고 다시 출근을 하고……. 하루 24시간 중 내가 온전히 나로, 내 감성으로, 하고 싶은 일을 하면서 지내는 시간이 얼마나 될까?

하루하루가 지나 한 달이 되고 계절이 변하는가 싶으면 금방 일 년이 지나갔다. 반복되는 생활 속에 그냥저냥 '살아지게' 되리라는 사실은 너무나 분명했다. 그 시간을 견디면 직급은 올라가고 연봉도 더 많아지겠지만 그렇게 40대를 맞이하고 싶지는 않았다. 30대의 나에게 미안하지 않겠느냐고, 후회는 없겠느냐고 스스로 물었을 때도 내 답은 분명했다.

☆

마지막으로 다닌 회사에서 나는 점점 말라가고 있었다(물론 얼굴만!). 인간관계와 실적에 대한 스트레스로 하루가 다르게 날이 섰다. 스트레스는 술로 직결됐고 술은 다시 똥배로 진화했으며 그 똥배는 바지를 살 때마다 더 큰 좌절감을 내게 안겨줬다.

바쁜 출근길에 주차 문제로 시비가 붙으면 나도 모르게 험한 말이 튀

어나오고, 회사 교육시간에 앞자리에 앉은 상사의 뒤통수를 쳐다보며 "아! 한 대만, 정말 한 대만 때려봤으면 소원이 없겠다"를 진지하게 되뇌는 나를 발견하면서 몇 가지 중요한 사실을 깨달았다.

조직에서 인정받으며 살아남고자 하는 한 저 얄미운 팀장은 '치사하고 더러워도' 내가 굽혀야 할 존재지만 조직이 아닌 다른 곳에서 만났으면 '사람 좋은 옆집 아저씨'가 될 수도 있다는 것을. 먹고살기 위해 필요한 마약 같은 월급과 그 돈을 위해 내가 치러야 하는 주차 전쟁, 출근 전쟁은 서울 같은 도시 생활에서나 필요하다는 것을. 그리고 이 모두가 결국 내 선택의 문제라는 것을.

무엇보다 중요한 건 내가 이런 깨달음을 얻기 훨씬 이전부터 제주도는 저 남쪽에 존재하고 있었다는 사실이다. 고민과 걱정이 하나도 없었다면 거짓말일 터. 그래도 용기를 냈고 결단을 했다. 2012년 6월, 사표를 던졌다. 서울에서 보낸 7년 직장 생활에 드디어 마침표를 찍었다.

제주행 배를 타기 위해 전남 장흥으로 차를 몰고 달리던 날을 잊을 수 없다. 날씨도 기분도 최고였다. 담양에서 막걸리를 한잔하면서 제주 살이의 멋진 시작을 응원했다. 장흥 노력항에서 차를 싣고 제주 성산포항으로 향했다. 나는 혼자였다.

좋은 집의 조건

☆

새벽, 일 나가는 이웃들의 오토바이 소리에 눈을 뜬다. 창문을 여니 할망들은 벌써 마을 밭에 붙어 계신다. 태풍으로 엉망이 된 밭을 수습하는 모양이다. 군산과 한라산은 밤새 무슨 일 있었냐는 듯 늠름하게 서 있다. 든든한 마음에 절로 미소가 지어진다. 일출을 보러 용눈이오름에 갈까? 잠시 망설이다가 다시 이불 속에 누워버렸다.

서귀포 대평리 우리 집은 10평 정도의 단칸방이다. 주방과 침실의 구분이 없는 그냥 너른 방이지만 네댓 명이 누워 잘 수 있을 정도로 넉넉하다. 집에는 에어컨, 선풍기, 옷장, TV가 있는데 내가 산 것은 없다. 말하자면 '풀옵션' 원룸이다.

나는 이 집에서 1년을 사는 값으로 170만 원을 냈다. 여기에는 수도요

금과 전기요금도 포함된다. 보증금 같은 건 없다. 다시 말하지만 월세
가 아니라 연세 170만 원이다. 월로 따지면 매달 약 14만 원을 내는
셈이다.

물론 '백수'가 된 나에겐 적은 돈이 아니다. 하지만 불과 3개월 전만
해도 나는 서울에서 원룸 월세로 40만 원을 냈다. 급한 사정이 생겨
단기 임대로 합정역 인근 풀옵션 원룸을 구했을 땐 월세로 120만 원
을 내기도 했다.

☆

서울에서 집을 구할 때의 기준은 이랬다. 직장에서 멀지 않은지, 내가
가진 살림이 다 들어가는지, 교통이 편리한 역세권인지, 술집이 많아
서 밤마다 소음과 진상 떠는 인간들에게 시달리는 건 아닌지, 그리고
무엇보다 내가 가진 돈으로 가능한 집인지. 하지만 이런저런 조건을
아무리 따져도 "이 집에서 살면 마음이 편하겠구나" 하는 느낌이 들
고, 실제로 살아도 편안한 곳이 내겐 가장 좋은 집이다.

그런 의미에서 지금의 대평리 집은 나에게 '좋은 집'이다. 주머니가
가벼운 나에게 큰 부담을 주지 않음은 물론이고 한라산과 매일 아침
인사를 할 수 있으며 몸이 좀 무겁다 싶으면 책 한 권 들고 박수기정
에 올라 시원한 바람에 땀을 식히고 내려올 수 있다. 서울 옥탑방에
살던 때처럼 집 앞 편의점 근처에서 취객들이 싸우는 소리에 잠을 설
치지 않아도 된다.

☆

'좋은 집'을 만나는 것도 인연이라고 생각하는데, 대평리 집을 얻게 된 과정을 돌아보면 참 신기할 뿐이다. 직장에 사표를 내고 무작정 내려온 제주에서 처음 두 달 동안은 대평리에 있는 게스트하우스에서 지냈다. 제주에 올 때마다 머물던 곳이어서 이곳에서의 생활은 익숙하고 편리했다. 하지만 장기로 묵으면(이런 손님은 '장기수'로 불린다) 서울에서의 한 달 월세와 맞먹는 돈이 든다. 살 집을 구해야 했다.

어떤 집이 좋을까? 월급도 끊겼고 모아 놓은 돈도 많지 않았다. 내가 가진 '총알'을 따져본 뒤 마음속으로 정한 금액은 연세 100만~300만 원. 물론 대평리에 위치한 곳으로!

여기서 일차적으로 접어야 할 욕심이 있었으니 바로 서울에서 익숙했던 편의시설과의 안녕이었다. 대평리에서는 제대로 장을 보려면 차를 타고 적어도 30분은 나가야 한다. 짜장면 배달? 그런 것 기대하면 피곤하다. 다행히 게스트하우스에 장기로 머무는 동안 이런 '불편'에 조금씩 익숙해지고 있었다.

정작 닥친 문제는 연세로 구할 수 있는 집이 별로 없다는 사실이었다. 연세는 계약금이 적다 보니 현지 부동산에서도 거래를 잘 하지 않는다. 그런데 마침 연말에 계약이 끝나는 집이 한 곳 있다는 정보가 게스트하우스 주인 언니로부터 입수됐다. 서귀포 시내에 있는 미용실 주인이 집주인이라기에 다음 날 바로 찾아갔다.

세심한(?) 눈으로 나를 '스캔'하는 집주인 아주머니의 눈길에 '제주를

사랑하는 조신한 아가씨'인 척했다. 삼고초려의 심정으로 세 번을 찾아갔지만 기존 세입자가 계약을 연장하는 바람에 낙동강 오리알이 됐다. 나는 다시 고민에 빠졌다.

"이러다 정말 제주도민이 될 수 있을까?"

☆

어느 날 밤 게스트하우스에 딸린 작은 카페에서는 어김없이 '한라산야간등반'(한라산소주를 밤늦게까지 마시는 일을 이렇게 부른다)이 한창이었다. 안주는 주인장 친구가 부산에서 공수해온 어묵과 납작만두. 잔을 채우기가 무섭게 빈 병들이 쌓여갔다.

술과 안주가 끊기는 불상사를 막기 위해 엉덩이 붙일 틈 없이 움직이는 일은 보통 그 자리 막내의 숙명이다. 더구나 나는 이곳 살림구조 파악을 끝낸 '장기수' 막내다. 열심히 술과 안주를 나르고 있는데 취기오른 구수한 부산 사투리가 나를 향했다.

"이놈 이거, 맘에 드네!"

막내로서 '싹수'가 있고 '법도'를 안다는 칭찬이었다. 다음 날 아침 내가 먼저 말을 건넸다.

"언니, 제가 이 동네에 집을 구하고 싶은데 연세로 나온 집이 없어서 걱정이에요."

"그래? 우리 단골 고객이 여기 대평리 부녀회장님이랑 20년 지기라던데, 전화해서 한번 물어나 볼까?"

"진짜요?"

일은 일사천리로 진행됐다. 알고 보니 점심 먹으러 한 번 들렀던 '용왕 난드르'(대평리 주민들이 운영하는 식당)의 아주머니가 대평리 부녀회장이고 연세 놓을 민박집 주인이며 지금은 내가 사는 이 집의 주인이다. 그것도 수도요금과 전기요금까지 연세에 포함시켜준 통 큰 집주인. 더 이상 낮출 여지가 없는 연세 170만 원. 계약서도 안 썼다.

☆

초등학교도 들어가기 전인 어린 시절, 우리 집은 서울 한남동의 달동네였다. 전라도 총각과 부산 처녀가 만나 빈손으로 상경해 애 둘을 낳고 살았던 달동네 문간방. 주인집 여자아이가 세 들어 사는 나를 자주 괄시해서 엄마 마음이 미어지셨단다(나는 기억이 없으니 다행이지만).

달동네를 떠나 초등학교에 들어갈 무렵 이사한 잠실의 주공아파트. 지금은 재건축이 되어 비싸고 높은 아파트가 들어섰지만 그 시절엔 그 넓은 대단지가 모두 저층 아파트였다. 지금 남아 있는 잠실 5단지만 유일한 고층 아파트였는데 학교에 가면 저층인 1~4단지에 사는 아이들과 고층의 5단지 아이들로 나뉘는 느낌이 들었다.

내 방 창문을 열면 5단지 아파트가 눈에 들어왔다. 어느 날 엄마가 말했다.

"5단지 사는 어느 집 엄마가 우리 집 있는 이 동네를 가리키면서 애한테 그랬단다. '너 공부 안 하면 저런 집에서 살게 된다'고."

엄마의 자조였을까? 아니면 그 집 애보다 공부를 더 열심히 하라는 의미였을까?

엄마는 내가 어른이 된 뒤 돈 잘 벌어 '좋은 집'에 살게 되기를 당연히 바라셨다. 하지만 서울에 사는 것에 더 이상 큰 의미를 두지 않게 된 지금, 나에게 좋은 집은 내 한 몸 편히 누일 수 있는 집이다. 늦게 퇴근한 날이면 이중 주차를 할 수밖에 없어 아침마다 이웃에게 차를 빼달라는 전화를 받지 않아도 되는 집. 창을 열면 한라산이 서 있고 주인집 아주머니가 라면과 함께 먹으라며 김치를 챙겨주는 집.

육지에 들렀을 때 엄마에게 말했다. 앞으로 다시는 서울에서 직장 생활을 하고 싶지 않다고. 미안하다고. 엄마가 실망할까 봐 걱정했는데 엄마는 내가 선택한 제주의 삶을 응원해주셨다. 맘 편하게 사는 게 최고라며.

엄마에게 제주에 놀러 오시라 해야겠다. 내가 사는 집을 보여드리고 함께 집 앞 군산에라도 올라야겠다. 그리고 서울에 있을 때는 바쁘다는 이유로, 삶이 피곤하다는 이유로 지쳐서 하지 못했던 많은 이야기들을 해야겠다. 한라산과 군산이 보이고 푸른 바다가 지척인, 연세 170만 원짜리 내 집에서 말이다.

불편해도 괜찮아

☆

언젠가 가수 이효리가 그랬던 것 같다. 눈을 뜨고 나니 모든 게 달라
졌다고. 이효리는 눈 뜨니 스타가 됐지만 나는 눈 뜨니 '이민자'가 됐
다. 여기 사람들은 외지인의 제주도 이주를 '이민'이라고 부른다.

'제주 이민'이나 '제주 이민자'라는 말은 몇 가지 느낌을 준다. 일단
제주 원주민과 이주민을 나누고 '너와 나는 다르다'는 각인을 팍팍 준
다. 이른바 '궨당문화'(친척이나 인척이라는 뜻의 궨당에서 비롯된 말로 제
주 지역색을 담은 문화를 뜻한다)나 '텃새' 탓이 아니어도 '이민'이라는
말은 영원한 비주류라는 뜻을 담고 있다.

서울에서 비행기로 고작 한 시간 거리인 섬으로의 이민. 하지만 생활
에서 몸으로 느껴야 하는 변화는 결코 적지 않다. 도시에서 시골로의

모든 이주가 그렇듯이 먹고 입고 자는 크고 작은 일상의 변화는 불가피하다.

일단 비싼 정장과 하이힐보다 제주 모슬포 오일장의 5000원짜리 얼룩말무늬 몸뻬가 더 눈에 들어온다. 단칸방에서 혼자 잠드는 일은 서울이나 제주나 마찬가지인데 이곳에서는 낯선 침입자에 대한 괜한 공포로 밤잠을 설치지 않는다(사람들은 인적 드문 곳에서 여자 혼자 살면 무섭지 않느냐고 묻지만, 나는 '서울'에서 더 '사람'이 무서웠다). 또 TV를 보다가 나도 모르게 홈쇼핑 채널에 심취해 주문 전화를 누르는 일도 없다. 대신 책을 펼치는 시간이 늘었다.

무엇보다 제주살이가 준 큰 변화는 먹는 것이다. 요즘 나는 서귀포 올레시장에서 사온 기름 잘잘 흐르는 자반고등어와 황태해장국, 자리젓을 자주 먹는다. 가끔 톳을 무쳐 먹기도 한다. 누군가에게는 '별거 아닌 것'이지만 내게는 '별거'다.

☆

서울에서 직장을 다니던 시절의 먹거리를 생각해본다. 아침은 배고픔 해결보다 수면 시간 확보가 더 중요하니 패스, 점심은 회사 식당에서 그저 그런 식단, 저녁은 친구와 치맥(치킨과 맥주), 곱창, 감자탕, 야근하는 날은 라면과 김밥, 그리고 가끔 회식. 주말에는 느지막이 일어나 일단 라면, 친구와 약속이 있으면 삼겹살 아니면 횟집.

그러고 보니 부끄럽게도 이 나이 되도록 제대로 만들 줄 아는 음식이 없다. 망망대해와 같은 서울의 대형마트에서 나의 '촉'은 오직 라면, 즉석 카레, 비엔나소시지, 냉동만두, 수입맥주로 향했다. 엄마가 "너 이래서 시집가겠냐"라고 잔소리를 하면 "요리 잘하는 남자 만날 거야"라고 대꾸했다.

지금 사는 대평리가 서울처럼 쉽게 음식이 배달되거나 대형마트가 가까운 동네였다면 어땠을까? 지금처럼 싱싱한 재료로 직접 만들어 먹었을까?

서울에 살 때 아주 잘 사용하던 스마트폰 앱이 있다. 하나는 주변의 배달음식점을 한식, 중식은 물론 야식 가능 여부까지 한방에 정리해 준 앱이고, 다른 하나는 현재 위치에서 가까운 맛집을 찾아주는 앱이다. 대평리 집에서 이 두 앱을 실행시켰다. 배달음식은 역시나 '검색결과 없음'이다(실제로는 치킨을 배달하는 집이 있다). 근처 맛집 검색 결과에선 거의 가지 않는 카페 두 곳이 나왔다. 검색 결과가 없어서 다행이다. 나는 계속 가정식 요리를 연습할 생각이다.

☆

대평리 집주인 아주머니는 나를 볼 때마다 물으신다.

"밥은 먹고 다녀요?"

내 뱃살을 아직 못 보셨나? 혼자 지내도 나름 잘해 먹고 살고 있으니 걱정 마시라는 의미에서 일전에 여수에서 사온 돌산 갓김치와 손님이 오면 대접하려고 사놓은 허벅술(제주도의 증류식 소주)을 드렸다. 없는

살림에 덜덜 떨면서 말이다.

아주머니는 "바깥양반이 애주가"라며 덥석 받으신다. 얼마 뒤 창밖 일몰이 좋아 사진 찍으러 대문을 열었다가 주인집 내외와 마주쳤다. 저번에 인사할 때는 받는 둥 마는 둥 하시던 아저씨가 이번엔 얼굴 한가득 미소가 넘쳤다. 갓김치 통이 돌아올 기미가 없어 좀 실망했지만 어쨌든 서울에선 이웃 간에 음식을 주고받는 일도 해본 적 없었으니 나에겐 기분 좋은 변화다.

☆

어느 날은 사람들을 차에 태우고 시동을 걸었는데 앞바퀴에 펑크가 나 있었다. 주말인데 빨리 처리가 될까? 걱정이 앞섰다. 보험사 콜센터에 사고 접수를 하니 곧 기사님과 연결을 시켜주겠다고 했다. 바로 전화벨이 울렸다.

"빵꾸 났수과?"

죄송한 말씀이지만 그야말로 나는 빵 터졌다. 서울에서는 "고객님, 타이어 펑크 접수하셨죠? 지금 어디쯤 계신가요?"가 정석이고, 나 역시 그런 서비스에 익숙한 사람이었다. 웃음을 겨우 참으며 대답했다.

"네, 여기 대평리 삼거리슈퍼 앞 공영주차장인데요."

조금 기다리자 아저씨 한 분이 오셨다. 알고 보니 대평리 이웃집 아저씨다. 어쩐지 위치를 더 구체적으로 묻지 않더라니. 아저씨는 익숙한 솜씨로 금방 '빵꾸'를 때워주셨다. 가깝고도 빠른 서비스란 이런 것 아니겠는가.

☆

서울에 살 때는 예술영화를 보기 위해 홍대 부근 '상상마당'이나 광화
문 '씨네큐브' 같은 곳에 자주 가는 편이었다. 하지만 제주에는 이런
곳이 흔치 않다. 영화 〈두 개의 문〉, 〈케빈에 대하여〉가 너무 보고 싶
어 근질근질했는데 마침 일이 생겨 육지로 나간 김에 연달아 보기도
했다. 지금은 40킬로미터를 달려 제주시로 넘어가면 예술영화를 볼
수 있는 곳이 있다는 사실을 알고 있지만 말이다.

소소하지만 모든 것이 달라진 일상. 불편함으로 받아들이기 시작하면
한이 없을 테고, 하나도 불편하지 않다면 그것도 거짓말일 터. 그래서
그냥 즐겁게 받아들이려고 노력하는 중이다. 마음 편히 살자고 온 제
주 아닌가.

이러지 맙서

☆

나의 신세계, 제주. 그런데 제주는 가끔 서울 여자였던 나를 당황하게
만든다. 제주 처녀가 될 날은 아직 요원하구나 싶게 만들 때가 있는
것이다. 제주도 사투리는 그 대표적인 예다. 젊은 사람들이 하는 말은
무슨 뜻인지 대충 알아듣겠는데 동네 어르신들의 말은 가히 '멘붕'을
가져온다.

어느 날 대평리 삼거리슈퍼 앞. 아침부터 동네 할머니들이 옹기종기
앉아 계셨다. 뭔가 언성이 높은 걸로 봐서 말싸움이 난 듯했다. 지나
가는 척하면서 귀를 쫑긋 세우고 왜들 그러시나 들어봤지만 거짓말
한마디 안 보태고 정말 한마디도 알아들을 수가 없었다.

어느 정도 익숙해진 삼거리슈퍼 아주머니가 하는 말도 알아듣기 힘들

때가 있다. 그럴 땐 그냥 씩 웃어드린다. 그런데 토박이든 육지에 갔다 돌아온 제주 사람이든 이주민이든 어쨌든 도민들과 어울리다 보면 맞는지 아닌지도 잘 모르면서 입에 붙는 제주 말이 생긴다.

☆

'곶자왈 사람들'이라는 환경단체 모임에서 진행하는 숲과 나무에 관한 수업을 들은 적이 있다. 일요일 아침은 숲 탐방 시간. 실무자 한 분의 전화를 받았다.

"조남희 씨, 오늘 못 오시나요?"

"아, 제가 지금 잠깐 육지 와 있어가지고예."

이런, 내가 지금 뭐라고 한 거야?

운전을 하다가 갑자기 앞에서 튀어나오는 오토바이를 보고 속으로 이렇게 말한다.

'이러지 맙서.'

그리고 혼자 킥킥댄다. 이건 또 뭐야? 이게 말이 되는 거야?

이렇게 나는 한창 옹알이 중이다. 친해진 도민 한 분과는 거래를 맺었다. 나는 그녀에게 중국어를 가르쳐주고, 그녀는 내게 제주 말을 가르쳐주기로 했다. 오토바이 운전자에게 하려던 "이러지 마세요"는 제주 말로 "영 허지 맙서"였다.

☆

제주에 살면서 당황스러웠던 또 하나는 위치, 방향에 대한 제주만의 설명 방식이다. 제주시에서 열린 한 시민단체 후원주점에 가던 날이었다. 제주시청 근처에 있는 한 호프집으로 오라는데, 동네 자체가 낯설다 보니 아무리 설명을 들어도 어디가 어딘지 감을 못 잡고 헤매고 있었다. 더구나 나는 정말 심각한 길치에 방향치다.

"그러니까 여기 편의점에서 어느 쪽으로 내려가라는 거죠?"

"한라산 방향이요."

"네? 한라산 방향이 어딘데요? 제가 제주 온 지 얼마 안 돼서 잘 몰라요."

"……"

"……"

세상에, 한라산 방향이라니! 한라산이 보이기라도 하면 모를까, 이 어두운 밤에 한라산 방향이라니! 대화는 산으로 갔고 난 어찌할 바를 몰랐다. 제주시에서 한라산 방향이라 함은 남쪽을, 서귀포에서 한라산 방향이라 함은 북쪽을 가리킨다, 라고는 하지만 30년을 동서남북도 모르고 살아온 나에게 '한라산 방향'은 '멘붕', '당황' 그 자체였다. 앞으로 제주시에 넘어올 때마다 기억하는 지형지물을 늘려야겠구나, 다짐했다.

☆

제주 말이나 한라산 방향은 배우고 익히면 된다지만 도저히 내가 어떻게 할 수 없는 일도 있다. 밖에서 사람을 만나고 밤 9시가 넘어 집에 왔는데 그날따라 날씨가 추워서 방이 냉골이었다. 보일러를 켜도 계속 '점검' 버튼만 깜박일 뿐 온기가 돌지 않았다. 그냥 버텨보려고 이불을 덮고 누웠지만 이러다 아침에 입 돌아간 채로 발견될 것 같아 용기를 내어 주인집을 두드렸다.

"계세요? 보일러가 좀 이상해서요. 계속 점검이 떠요."

"가스 떨어졌구나. 어떡하나? 내일 아침까지 기다려야 하는데……."

"네? 아침까지요? 지금도 너무 추워요."

"우리 딸 전기장판 빌려줄 테니 가져가요."

"흑흑, 감사합니다."

가스통에 가스가 떨어진 줄 몰랐다. 제주에는 아직 도시가스가 없고 기름보일러 아니면 LPG를 쓴다. 제주시 아파트는 단지 내에 전체 가스통이 있지만 우리 집 같은 시골 농가에서는 가스통을 배달해서 채워야 한다. 촌에 살면서 겨울에 미리미리 준비하지 않으면 나처럼 추위에 입이 돌아갈 수도 있다. 전기장판의 온도를 최고로 올리고 친구에게 문자 메시지로 하소연을 했다.

"우리 집 가스가 떨어졌어."

"뭐? 어떻게 그럴 수가 있어? 집주인한테 도시가스로 바꾸자고 해!"

"도시가 아닌걸 뭐."

"그럼 해양가스 하자 그래."

"하하, 미쳤다고 나가라고 하지 않을까?"

나를 위로하고 싶은 친구는 세입자의 설움이라고 했지만, 아니다. 이 건 그냥 제주에 대해 무식한 육지 여자가 당해도 싼 일이다.

☆

고무줄과 같은 영업시간도 육지 사람을 당황하게 하기 일쑤다. 물론 제주도 전체가 다 그렇다고 할 수는 없다. 서울과 같은 생각이나 방식 이 아니라는 점을 말하고 싶은 것이다.

대평포구 박수기정 가는 길에 평소 잘 가는 횟집이 하나 있다. 바로 '명물식당'이다. 서울에서 아는 사람이 내려오면 밥이라도 한 끼 대접 해야 하는데 신선한 고등어회에 뿔소라 정도는 펼쳐놔야 "나 고등어 회 처음 먹어봐"라는 서울 사람들에게 뭔가 좀 사준 티를 낼 수 있다. 요즘은 주머니가 가벼워져서 그것도 고민이긴 하지만.

그날 저녁도 지인과 명물식당으로 향했다. 사람들이 안에서 식사를 하고 있기에 성큼 들어섰는데, 오늘은 장사를 안 한다. 명물식당 사 장님의 집안 잔치가 성대하게 열리는 중이었다.

"그래요? 그럼 할 수 없죠. 나중에 올게요."

다음 날 저녁에 명물식당을 다시 찾았다. 그런데 아예 문을 안 열었 다. 전날의 집안 잔치로 발생한 '과도한 음주' 때문에 '어제는 달렸으 니 오늘은 쉬는 걸로'란다.

얼마 후 명물식당에 다시 들렀더니 또 문을 안 열었다. 구시렁거리며 하는 수 없이 흑돼지를 먹으러 집 근처 새로 생긴 고깃집에 갔다. 그런데 얼큰히 취한 명물식당 사장님이 거기 앉아 있는 게 아닌가.

"어? 사장님, 여기 계시면 어떡해요? 갔다가 문 닫아서 여기 왔잖아요."

고깃집 개업 기념으로 낮부터 달리고 있다는 명물식당 사장님은 나를 고깃집 사장님한테 냉큼 소개하신다.

"우리 집 브이아이피(VIP) 손님들이야. 늦게 와서 많이 먹고 문 닫고 가지, 하하. 그나저나 우리 귀한 손님 뺏기면 안 되는데?"

내 얼굴이 점점 빨개졌다. 식당 한편에서 조용히 친구들과 술잔을 채웠다.

영업시간은 손님과의 약속이지만 그래도 명물식당 사장님의 배짱이 난 좋다. 돈을 벌만큼 벌어서라기보다는 자신의 기준과 방식으로 '하고 싶은 대로 한다'는 그 자신감이 부럽다. 육지에서 온 손님을 '돈'으로만 본다면 간과 쓸개 다 내놓고 비위를 맞추겠지만 적절한 가격에 신선하고 맛있는 회를 푸짐하게 내주는 건 기본이고 넘치지도 모자라지도 않게 손님을 대하는 매너 또한 부담 없다. 게다가 쉬고 싶을 때 쉬는 배짱까지. (명물식당은 장사가 잘되어 대평포구에서 마을 입구 쪽으로 근사한 건물을 올려 자리를 옮겼다. 원래의 명물식당에서는 다른 분이 영업을 하고 있다.)

익숙하지 않은 것들을 접할 때마다 '아, 내가 제주에 있구나' 실감이 난다. 당황스러울 때도 있지만 제주를 배워가는 과정이 재미있다. 나를 당황스럽게 할 또 다른 것들을 신나게 기다린다.

외로울 땐 한라산 야간등반

☆

제주도민 친구를 구한다는 내용으로 〈오마이뉴스〉에 기사를 쓰겠다고 지인에게 말했을 때 이런 답이 돌아왔다.

"너무 앵벌이 기사 아니야?"

앵벌이라도 괜찮다. 나는 이곳 제주에서 '짜장라면'이다. 오리지널 짜장면이 아닌 짜장라면. 그것도 자주 외로운 짜장라면. 일명 '짝퉁 도민'이다. 그리고 태생적으로 짝퉁은 오리지널을 찾기 마련이다.

제주의 여름은 여행자들의 천국이다. 휴가철이 되면 우리 동네 대평리의 게스트하우스에도 예약이 어려울 만큼 여행자들이 북적인다. 하루에도 많은 이들이 올레길을 걷느라 지친 몸을 끌고 왔다가 밤새 '한라산 야간등반'을 마치고 떠난다. 일반 회사원은 물론이고 기자, 피디, 방송작가, 교수, 군인, 학생 등 다양한 직업과 나이의 사람들이 찾아오는데 차갑고 투명한 한라산소주 앞에선 누구나 평등해진다.

소주잔을 앞에 놓고 말을 섞다 보면 종종 비슷한 감성을 지닌 사람들을 만나게 된다. 금방 친구가 되어 다음 날 함께 올레길을 걷거나 내 차에 태워 김영갑 갤러리 두모악을 가거나 오름에 오르곤 한다. 함께 즐거운 시간을 보내다가 문득 깨닫는다.

'이들은 모두 곧 육지로 떠난다. 그러면 다시 나만 혼자 남는다.'

☆

무더운 여름이 끝나가던 9월 초의 그날도 그랬다. 제주에서 만나 친해진 친구가 서울로 돌아가는 날이었다. 어디 한 군데라도 더 데려가고 싶은 마음에 집에서 가까운 군산으로 향했다. 높지 않은 산이지만 대평리 마을은 물론이고 날씨가 좋으면 모슬포까지 탁 트인 전경이 한눈에 들어오는 멋진 곳이다. 시간이 촉박해 중턱까지는 차로 오르기로 했다.

굽이굽이 이어진 산길을 열심히 올라가다 보니 차 한 대가 길을 막고 서 있었다. 태풍에 흘러내린 토사로 길이 막혀 앞으로 가지 못하고 있었다. 그야말로 빼도 박도 못하는 상황. 차량 주인은 젊은 남자였는데, 나보다 가는 팔다리의 소유자였다.

두 여자는 한 남자를 도와 토사를 치우기로 했다. 삽 같은 장비가 있을 리 없었다. "집에 있는 국자라도 있으면 좋겠다"라는 말이 절로 나

왔다. 대평리 마을에 좋은 일 하는 셈 치자며 서로를 위로했다. 온몸은 땀과 흙으로 범벅이 됐다.

결국 힘겹게 군산에 올랐고 시간이 되어 친구를 제주공항까지 바래다줬다. 친구는 비행기를 타러 들어가고 다시 나 혼자 남았다. 적막했다. 제주공항 활주로보다 길고 텅 빈 자국이 내 가슴에 남은 듯했다. 올 땐 둘이었는데 갈 땐 혼자였다. 공항에서 집까지 40분, 먹먹한 가슴을 꾹꾹 눌렀다.

운동화를 빨다가 울어본 적이 있는지? 빈집에 돌아와서 토사를 치우느라 엉망이 된 신발을 빨다 말고 왈칵 눈물이 쏟아졌다. 나는 제주에서 또 하나의 섬이었다.

제주에서 살겠다고 다짐할 때 이미 예상했던 쓸쓸함이다. 하지만 막상 대면하니, 견디고 받아들이는 일이 버겁기도 하다. 아름다운 제주에 사는 건 무척 좋지만 홀로 눈물을 훔치는 외로움도 숙명처럼 받아들여야 한다.

☆

뭍으로 떠나지 않는, 떠날 필요가 없는 사람을 만나고 싶어졌다. 제주도민과 친구 되기. 사실 쉬운 일이 아니다. 섬사람이 육지 사람에게 배타적인 이유는 가만히 생각해보면 쉽게 공감할 수 있다. 살아온 땅이다르고 말씨가 다르고 문화가 다르다. 그들에게 나는 어디선가 굴러들어 왔다가 또 언제 어디로 굴러갈지 알 수 없는 돌일 뿐이다. 언제 떠날지 모르는 사람에게 곁을 내어주기는 어렵다. 그럼에도 조심스레 도민들의 제주 이야기가 듣고 싶었다. 물론 나와 같은 제주 이민자들과도 교류해야겠지만 말이다.

'오리지널 제주도민' 하면 생각나는 사람이 있다. 2011년 여름, 8월 첫 주였다. 제주에 정착하기 전에 혼자 여행을 와서 협재 해수욕장을 찾았을 때였다. 비키니를 입은 처자들이 해안선에 길게 누워 있는 광경을 본 순간, 나는 알았다. 여기는 내가 있을 곳이 아니라는 사실을. 나는 사람이 많아 북적대는 곳이 싫다. 더구나 8월 첫 주는 휴가철의 절정 아닌가. 생각을 왜 못했을까? 심지어 어디선가 안내 방송도 들려왔다.

"서울 반포에서 온 OOO 어린이, 부모님이 찾고 있습니다."

반포라니, 서울 반포라니. 서울을 피해 제주로 쉬러 온 내게는 가혹한 단어였다. 반포고속터미널 근처의 교통체증이 떠올랐다. 어디로 가야 하나, 고민하다 방파제 쪽을 보니 사람이 없었다. 막걸리 두어 병을 샀다.

나는 여행을 가면 언제 어디서나 펼쳐 깔고 앉을 수 있게 담요를 준비한다. 그날도 담요를 방파제 한구석 바닥에 곱게 깔고 앉아 책을 펼쳤다. 동네 할아버지가 손주와 산책을 하고 계셨다. 나의 막걸리를 탐하는 눈길이 느껴졌다.

"앉으세요, 할아버지. 막걸리 한잔 하세요."

막걸리 잔이 오갔다. 막걸리는 금방 동이 났고 어느새 나는 막걸리를 사다 나르고 있었다. 어쩌다 보니 그 동네 부녀회장님이라는 해녀 아주머니까지 가세해 말을 섞게 되었다.

"비키니 입은 아가씨들이 동네 구석구석을 돌아다녀서 영 불편스러워. 나는 괜찮은데 우리 아들이 젊어서 좀 그래."

"저도 부담스러워서 이리로 피신했어요. 막걸리 더 사올까요?"

"아니야. 우리 손주 때문에 이제 들어가야 해."

☆

비양도 해녀들과의 구역다툼 이야기를 비롯해 제주로 시집 온 이주여성 이야기까지 부녀회장 아주머니와의 대화가 두런두런 이어졌다. 막걸리에 얼큰히 취한 할아버지는 새벽에 함께 낚시를 가자고 하셨다. 제주에서 젊은 남자의 전화번호가 아니라 동네 할아버지의 전화번호를 따게 될 줄이야. 다음 날 새벽, 전날의 막걸리가 채 깨지도 않았는데 전화벨이 울렸다.

"여기 게스트하우스 앞이야. 나와."

"(헉) …… 네."

할아버지의 지프차를 타고 대정으로 내달렸다. 내 얼굴이 탈까 싶어 모자까지 준비한 할아버지의 자상함에 피곤한 내색은 할 수 없었다. 낚시 포인트에 도착해서 갯바위에 앉아 졸고 있는데 세상에, 할아버지는 실한 벵에돔을 줄줄이 낚아 올리셨다. 이어 그 자리에서 능숙한 솜씨로 회를 떠 주셨다. 모닝 소주 한잔이 빠질 수 없고 졸음은 싹 달아났다.

낚시를 마친 뒤 할아버지는 다시 나를 차에 태우고 "(음식) 정말 잘하
는 집이 있다"며 어디론가 향했다. 우리가 도착한 곳은 보신탕집. 좋
아하지는 않지만 할아버지의 정성을 생각해서 한그릇을 후딱 비웠다.
감사의 뜻으로 밥값을 계산했더니 할아버지는 기어이 답례를 해야겠
다며 다시 협재로 차를 몰았다.

2차 낚시가 이어졌고 우리는 방파제에서 낚아 올린 모살치로 다시 회
잔치를 했다. 그런데 그 자리에 함께 있던 동네 아저씨가 갑자기 바다
로 뛰어드는 게 아닌가. 잠시 뒤 아저씨는 뿔소라 한 개를 들고 나왔
다. 한라산소주병으로 뿔소라를 깨더니 놀란 나에게 먹어보라며 내밀
었다. 싱싱한 소라는 꿀맛이었고 술자리는 계속 이어졌다.

서울 가서도 종종 연락하겠다는 인사를 남기고 할아버지와 헤어졌지
만 바쁘게 살다 보니 그 후로 다시 연락을 하지는 못했다. 할아버지는
내가 제주에 살게 된 걸 아시면 뭐라고 하실까?

오리지널 도민 할아버지에게 그때 받은 모자를 돌려드려야겠다. 10만
원을 호가하는 자연산 뻥에돔을 또 한 번 무한정 맛보고 싶은 나의 속
셈은 우선 숨기고 말이다. 할아버지와 '친구'는 될 수 없을지 모르지만
'말벗' 정도는 될 수 있지 않을까?

"제주도 남자들은 일 안 하고 할머니들이 물질해서 먹여 살린다고 많
이들 그러잖아요. 어떻게 생각하세요?"

"저한테 아드님 소개해주신다더니 왜 말이 없으세요?"

이런 질문들이 목까지 차오르겠지만 막걸리 몇 잔만 들이켜고 말 거다.

☆

며칠 전 놀러 간 게스트하우스에서 버스 운전기사로 일하는 나이 마흔의 도민을 만났다. 제주 이민자를 다룬 책에 소개된 게스트하우스 이야기를 보고 궁금해서 찾아왔단다. 육지 사람들은 여행을 하고 싶으면 전라도든 강원도든 자유롭게 갈 수 있지만 제주 사람들은 뭍에 가려면 맘먹고 나서야 해서 젊을 때는 섬이 답답했단다. 그렇지만 지금은 제주에 살아서 너무 좋다는 아저씨. 그는 그렇게 제주 사람이면서 제주를 여행한다.

적어도 삼대를 살아야 도민으로 인정해준다는 제주도. 내가 이곳에 살기 시작한 지는 불과 석 달이다. 나는 아직 제주를 잘 모른다. 잠시 머물다 떠나는 여행자의 제주가 아니라 바람 타는 섬 제주에서 삼대를 살아온 오리지널 도민들의 묵직한 제주 이야기가 듣고 싶다. 섬에 산다고 해서 나도 섬이 될 수는 없는 일이다.

너른 들판의 낮은 돌담처럼

유라와 세하

예술 하는 부부 유라와 세하.
유라는 셰어하우스 '오월이네 집' 1호 입주자로 만나 지금은 누구보다 가까운 동네 이웃이 되었다.
저지리에서 복합문화예술공간 '탐라표류기'를 운영한다.

고성환

"초장과 한라산 가지고 판포 방파제로 와!"
정이 넘치는 낚시꾼이자 제주에 대해 무엇이든
다 알 것 같은 제주 소나이(사나이).
가끔 제주살이가 힘들어서 하소연을 하면
"누가 우리 남희 힘들게 했어!"라며
무조건 내 편을 들어주는 사람.
이제는 '형님'으로 부르고 있다.

고지희

제주의 새 일터에서 함께 일하는 동료.
항상 열심히 일하고 힘든 일도 웃으멍(웃으면서)
흘려보낼 줄 아는 제주 어멍.
그녀의 섬세한 마음 씀씀이가 좋다.

조성일

가슴으로 노래하는 사람.
'꽃다지' 멤버에서 솔로 가수로 변신한 조성일 오라방.
제주 어디든 의미 있는 자리에 가면
노래하고 있는 그를 만날 수 있다.
제주살이에 대한 인터뷰를 계기로 만나
지금은 절친 오라방이 되었다.

양용진

제주향토요리연구가.
제주 음식과 문화를 지키는
다양한 연구와 활동으로
불철주야 바쁜 실력자.
정과 위트가 넘쳐
다방면의 해결사이기도 하다.
제주 음식에 대한 나의 모든 궁금증을
척척 풀어준다.

감귤 따던 초짜의 줄행랑

제주도는 어딜 가도 눈에 들어오는 풍경이 있다. 노란 열매가 주렁주렁 달린 귤나무들이다. 우리 집에서도 창문을 열면 바로 코앞에 하우스 귤 농장이 보인다. 창밖으로 손만 뻗으면 잡힐 것 같은 감귤을 볼 때마다 '그림의 떡'이 바로 이런 거구나 싶다.

제주도는 지나가는 행인 누구나 쉽게 귤을 딸 수 있을 만큼 귤나무가 널려 있다. 돌담조차 치지 않은 귤 농장도 많다. 그래서 올레길을 걷다 갈증이 나면 하나 따 먹고 싶은 유혹에 시달리곤 한다. '전광석화같이 빠른 귤 서리' 액션을 머릿속으로 그려보다가 '없이 살아도 이건 아니지' 하며 고개를 도리질한 적도 있다.

사실 제주도에는 '제주에 살면서 돈 주고 귤 사 먹으면 바보'란 말이 있다. 그만큼 제주도의 겨울은 귤이 흔하다. 제주도 어딜 가서 누굴 만나도 심심찮게 생기는 게 바로 감귤이다.

집주인 아주머니는 대평리의 마당발이다. 마을 근처 감귤 농장을 하나 소개받는 건 일도 아니었다. 마침 어떤 독자 한 분도 〈오마이뉴스〉 쪽지로 이런 글을 보내왔다.

"제 고향이 대평리인데 기사 잘 읽고 있어요. 대평리 사람 되려면 감귤도 따보셔야죠. 원하면 소개시켜드릴게요."

제주도의 감귤 수확은 10월 말부터 시작이다. 처음으로 감귤 따기에 도전해보기로 했다. 감귤 따기는 제주에 살면서 꼭 해보고 싶은 일 중 하나였다. 겨울 대비 '용돈벌이 프로젝트'로도 손색이 없어 보였다. 감귤 따기가 크게 힘든 일은 아니라는데 나는 농사 비슷한 일도 해본 적이 없는 사람이라 걱정이 앞섰다. 결국 몹시 소심한 생각을 해버리고 말았다.

"괜히 도전했다가 '감귤도 제대로 못 따는 육지 것'으로 낙인이 찍히면 어쩌지? 그래, 우리 마을이 아닌 다른 곳에서 감귤을 따자!"

제주도에서 알게 된 선배에게 부탁을 했더니 바로 서귀포 남원으로 가보란다. 대평리에서 동쪽 방향으로 한 시간쯤 걸리는 곳이다. 감귤은 제주도 거의 모든 지역에서 재배되는데 기후가 더 적합한 서귀포 감귤을 제일 알아주고 그중에서도 남원 감귤이 타 지역보다 맛있다는 소리를 듣는다.

일요일 아침, 남원2리 리사무소 근처의 노지(비닐하우스가 아닌 햇볕 받는 땅) 감귤 농장으로 향했다. 감귤 수확은 보통 오전 7시에 시작해 오후 5시에 마친다고 한다. 조금 늦게 도착했는데 농장 안에서는 할머니, 할아버지 들이 이미 한창 작업 중이셨다.

마을에서 귤 농사를 계속 지어왔다는 농장주를 만나 인사를 하고 바로 작업에 돌입했다. 그는 내 손에 감귤 따는 가위를 들려주며 요령을 알려줬다. 가위 바깥 날로 감귤이 달린 가지를 적당한 길이로 자른 후 안쪽 날로 감귤 꼭지 부분을 바짝 잘라주라고 했다. 바짝 자르지 않으면 꼭지가 다른 감귤을 찔러 상하게 만들기 때문이란다.

상처가 나면 당연히 상품가치가 떨어지고 저장 과정에서도 쉽게 썩는다. 너무 크지도 작지도 않은, 손에 쥐기에 좋고 표면 상태와 모양이 좋은 이른바 '상품'만 골라서 딴다. 상품은 저장되었다가 바로 육지로 판매되고, 나머지 감귤은 주스를 만든다든지 다른 용도로 쓰인다.

농장주가 알려준 대로 상품으로 보이는 귤을 하나씩 따서 꼭지를 잘랐다. 손에 익지 않아 한 개를 제대로 따는 데 시간이 좀 걸렸다. 지켜보는 농장주의 눈길이 부담스럽기만 했다.

'이래서 초보자를 잘 쓰지 않는다고 했구나.'

마음과 달리 굼뜬 손이 원망스러운 순간, 똑똑똑똑 일정한 소리로 줄기와 꼭지를 마무리하는 분주한 손들이 보였다. 그 손에는 감귤이 세 개씩 들려 있었다. 신기해서 멍하니 쳐다보는 나에게 농장주가 웃으며 말했다.

"귀신같죠?"

오전 7시에서 오후 5시까지 보통 일꾼 한 명이 일당 몫을 하려면 노란 플라스틱 박스 40개 분량을 따야 한다. 이날 수확한 품종은 극조생. 출하 물량을 맞추기 위해 동네 어르신들이 품앗이로 모였다. 각자 감귤 밭을 갖고 있기 때문에 이웃의 밭에서 작업한 일수만큼 나중에 도움을 받기도 한다. 12월 중순까지 수확을 끝내고 다음 해 설 전에는 출하를 마쳐야 하기 때문에 11월 말부터 일손이 달린다. 그래서 거제도 등 타지에서 숙련된 사람들이 오기도 한다.

감귤 농사는 일조량이 중요하다. 2012년에는 볼라벤, 덴빈 같은 큰 태풍을 맞은 탓에 당도, 작황이 제대로 나올지 농장주는 걱정이 많았다.

"무엇보다 귤 가격이 제대로 나와야 하는데 그렇지가 않아요. 거름값, 인건비는 많이 드는데……."

농장주는 넋두리를 하다가 이내 "귤에 대해 잘 모르죠?" 하며 이야기를 들려준다. 제주에 흔한 지금의 감귤은 재래종이 아니라 일제강점기에 일본에서 이식된 종이다. 조선시대 이전부터 제주 재래종 감귤이 있었지만 농민들은 조선시대 왕가에 감귤을 수탈당하기 싫어 감귤 농사를 꺼렸다. 지금의 감귤은 한국전쟁 이후에 대대적으로 재배된 종이라고 한다.

취재를 빙자한 농장주와의 이야기가 길어지자 '귀신같은 손'들에게 무안해지기 시작했다. 감귤 따기에 전념하려고 팔을 걷어붙이는데 바로 옆에서 감귤을 따시던 할머니가 말을 건넨다.

"웬 아가씨가 미깡(밀감)을 따러 왔어?"

모자도 없이 가위질도 어설픈 처자가 감귤을 따겠다며 서 있으니 생경하셨나 보다.

"어디서 왔어?"

"대평리에 살아요. 얼마 전에 서울에서 내려왔어요."

"나이는 몇인데?"

"서른셋이요."

"장가 안 간 우리 아들이 있는데, 농사지을 수 있겠어?"

"네! 그럼요!"

언제나 이런 질문에는 시원시원하게 답한다. 인생사 모를 일 아닌가. 품앗이 온 마을 주민들은 이 집 저 집 돌아가는 이야기를 서로 주고받으며 고된 노동을 잊는 듯했다. 다만 제주 말을 알아듣지 못하는 나는 좀 고독했다.

점심시간이 됐다. 감귤 밭 옆 저장창고에 들어서니 바닥에 벌써 식사가 차려져 있다. 할머니 한 분이 국을 뜨고 계시기에 얼른 국그릇을 날랐다.

"아가씨가 국그릇 나를 줄도 알고!"

역시나 날아드는 칭찬. 내 옆에서 식사를 하시던 할아버지께 좀 더 드시라고 권했더니 "예쁜 아가씨 옆이라 더 못 먹겠네" 하신다.

그러나 정작 이 아가씨는 고봉밥을 퍼놓고 전투적으로 밥그릇을 비워나갔다. 작업 마감시간까지 끝까지 버티겠다는 일념으로 '먹어야 일할 수 있다'는 기본에 충실했다. 더구나 '있을 때 많이 먹어두자'는 게 나의 제주살이 원칙이니까.

밥을 든든히 먹고 나서 실한 상품이 많이 달린 귤나무가 있는 쪽을 찾아 농장 구석구석을 훑고 다녔다. 이제 작업도 슬슬 익숙해져서 내 손에도 귤이 세 개씩 쥐어져 있다. 이쯤 되면 귤은 먹는 게 아니라 오직 따는 것으로 인식된다. 무념무상, 무아지경으로 귤을 땄다.

나무 위쪽, 아래쪽, 바깥쪽 등 손이 잘 닿지 않는 곳에 달린 감귤까지 따려니까 등을 시작으로 허리가 아프고 팔도 점점 무거워졌다. 오후가 되어 그늘이 생기니 바람이 세지 않은데도 한기가 느껴졌다.

할머니, 할아버지 들도 힘이 드신지 오전처럼 수다를 떨지 않고 조용히 감귤만 따신다. 하지만 누구 하나 힘들다고 하는 사람이 없다. 젊은 내가 "아이고, 힘들다" 한마디 소리내기도 부끄러워 조용히 감귤만 땄다.

오후 3시쯤 되자 농장 한구석에 간식이 마련됐다. 둘러앉아 감, 고구마, 커피를 먹는데 할머니 한 분이 그러신다.

"힘들지? 어디가 제일 아파?"

"등이요."

"아이고, 이제 좀 있으면 허리도 아프고 팔도 아프고 그럴 텐데? 근데 감귤 농사가 농사 중에 제일 쉬운 거야."

"아……네."

"그런데 아가씨는 언제 가려고?"

"끝까지 해보려고요."

'저질 체력'인 주제에 오기만 남아서 대답은 넙죽했지만 점점 후회가 밀려왔다. 온몸 구석구석이 '감기몸살 예약되셨습니다'를 부르짖었다. 오후 5시가 돼도 작업은 끝날 기미를 보이지 않고 내 몸은 항복을 부르짖고 있었다. '이 정도면 밥값은 했겠지'라며 스스로를 합리화할 수밖에 없었다.

감귤 박스를 나르느라 정신없는 농장주에게 목장갑과 가위, 모자를 안겨주고 저녁 약속을 핑계로 농장을 후다닥 뛰쳐나와 집으로 내달렸다. 전기장판 온도를 잔뜩 올리고 이불 속으로 파고들었다. 한기가 든 무거운 몸이 천천히 녹아내렸다.

'역시 대평리에서 귤 안 따기를 잘했어.'

며칠 전에 물건을 빌리러 주인집에 갔을 때 본 아주머니가 생각났다. 그날 아주머니는 "감귤을 따고 왔다"며 자리에서 일어나기도 힘들어했다. 제주도에서 살고 싶다는 어느 육지 아가씨가 했던 말도 떠올랐

다. 그녀는 감귤 농장 둘째 아들과 결혼하는 게 꿈이라고 했다. 다시 만나면 이렇게 말해주련다.

"일단 해보고 다시 이야기합시다."

끙끙 앓으며 누워 있는데 농장주에게서 전화가 왔다.

"힘들죠? 오늘은 좀 쑤실 거예요."

"조금 그렇긴 해도 괜찮아요. 덕분에 좋은 경험 했습니다."

비록 체력의 한계를 느끼긴 했지만 몇 번 더 하다 보면 요령이 생기지 않을까? 전기장판 위에 누워 골골대며 눈을 감으니 눈앞에 '나 좀 따 달라'는 듯 주렁주렁 매달린 귤이 가득했다. 며칠은 밤마다 노란 감귤 꿈을 꿀 것만 같았다.

감귤 따기에 몇 번 재도전한 후 비로소 알았다. 다 복불복이라는 것을. 처음 서귀포 농장에 감귤을 따러 갔을 때 도망치듯 나올 만큼 힘이 들었던 건 너무 바쁜 시기에 농장에 간 탓도 있었다.

두 번째 도전한 농장도 서귀포 남원에 있는 곳이었는데 한마디로 니나노가 절로 나왔다. 육지에서 제주도로 이주한 지 20년 된, 인상부터 넉넉한 노부부의 농장이었다. 두 분이 하기에는 벅차서 일하는 사람을 불렀지만 다른 농장처럼 급하게 판매할 물량을 채워야 하는 상황이 아니었다. 놀면서 돈 버는 기분이 들 만큼 여유롭게 농담도 나누면서 감귤을 땄다. 서두르지 않아도 되고 긴장할 필요도 없어서인지 일이 힘들지가 않았다. 일당도 똑같은데 말이다.

날씨도 중요하다. 처음 감귤을 따던 날은 너무 추워서 고생했지만 이번엔 햇볕이 잘 들어서 입고 간 옷을 하나하나 벗으며 감귤을 땄다. 이날은 정말 행복했다.

자신감이 붙은 나는 다음 날 남원의 다른 농장으로 갔다. 호기롭게 세 번째 도전. 그러나 이날은 몹시 추웠고 정신없이 바빴으며 힘들었다. 이래서 복불복이다.

도민이세요?

제주도를 찾는 관광객에게 제주도 사람을 분류하라고 하면 '제주에 사는 사람'과 '관광객'으로 나눌 것이다. 하지만 제주도에 사는 사람들에겐 문제가 조금 더 복잡해진다. 도민이라고 해서 다 같지가 않다. 제주 토박이, 제주에서 나고 자랐지만 육지에 나갔다가 다시 돌아온 사람, 그리고 제주에서 나지 않았지만 제주에 살겠다고 온 이주민이 있다. 이를 두고 성골, 진골, 육두품이라는 우스갯소리도 있다.

나는 당연히 굴러들어 온 이주민 그룹에 속한다. 그리고 가끔 이런 나의 정체성을 생각하게 만드는 일이 생긴다. 특히 일상에서 아주 사소하게 마주치는 상황들이 있는데 말하자면 이런 식이다.

'서울시민' 친구가 내려와 저녁을 먹으려고 제주시에 있는 근고기(한

근 600그램을 기준으로 돼지고기 여러 부위가 두툼하게 썰려 나온다) 식당에 갔다. "한라산 한 병 주세요" 하자 식당 종업원이 어김없이 묻는다.

"한라산은 순한 맛(19.5도의 녹색 병 한라산소주)이 있고 또……."

"하얀 걸(21도의 투명한 흰색 병 한라산소주)로 주세요."

"도민이세요?"

"네."

"난 또 서울에서 오신 줄 알고."

도민이냐는 질문에 망설임 없이 그렇다고 대답하자 친구가 어디서 사기를 치냐는 듯이 나를 보고 샐쭉 웃는다.

"내가 그럼 도민 아니냐?"

만약 대구에 있는 식당에 갔을 때 같은 상황이라면 식당 종업원은 "대구 분이세요?"라고 물을 것이다. 그런데 여기서는 "제주도 사람이세요?"가 아니라 "도민이세요?"라고 묻는다. 나도 도민은 맞다. 주민등록 주소지가 제주도로 돼 있고 제주도에 사는 사람이니까.

그런데 뭔가 꺼림칙하다. "도민이세요?"라는 질문에는 '도민＝토박이'라는 전제가 깔려 있다는 느낌이 들기 때문이다. 그래서 자꾸 "서울에서 살러 왔고 제주도에서는 아직 얼마 살지 않은 도민입니다"라고 부연 설명을 해야 할 것만 같다.

제주도가 좋아서 살러 온 내가 느끼는 이런 감정은 구성원으로 인정받고 싶다는 의미이기도 하다. 물론 안다. 이런 질문에서 언젠가 자유로워져야 한다는 것을. 그 자유란 주위에서 인정받는 것이 아니라 스스로 자유로워져야 한다는 것도.

제주 섬사람들만의 아픈 역사와 고달팠던 삶에 대해서도 생각해본
다. 성급하고 소심한 나 자신을 볼 때면 떠올리게 되는 사람이 있다.
그리고 열댓 번 정도 가본 곳인데도 다시 한 번 발걸음하고 싶은 곳
이 있다.

서귀포시 성산읍 삼달리에 있는 김영갑 갤러리 두모악, 사진작가 고
김영갑 씨의 사진갤러리다. 그는 충남 부여가 고향인데 제주도에 반
해 서울과 제주도를 오가며 사진 작업을 하다가 1985년 아예 제주도
에 정착했다. 그는 루게릭병이라는 불치병을 얻어 2005년 세상을 등
지기까지 20년 동안 제주도의 바닷가와 중산간, 한라산과 마라도 등
섬 곳곳을 누비며 제주의 모든 것을 사진으로 남겼다. 극한의 가난과
외로움 속에서 제주의 자연을 스승 삼아 오로지 제주도를 사진으로
담는 일에만 몰두했다. 그는 밥 먹을 돈을 아껴 필름을 샀고 배가 고
프면 들판의 당근이나 고구마로 허기를 달랬다.

그렇게 찍은 목숨과도 같은 필름들이 창고에 쌓여 곰팡이 슬어가는
것을 보다 못한 그는 삼달리의 폐교를 빌렸다. 이미 병을 얻은 그는
움직이기 어려운 몸으로 직접 폐교를 개조해 갤러리를 만들었다. 그
렇게 지어진 갤러리가 2002년 개관한 두모악이다. 그의 유골은 갤러
리 마당에 뿌려졌다.

이제 두모악은 제주도를 찾는 사람들에겐 한 번씩 들러야 할 명소가 됐다. 사람들은 말한다. 그의 사진에서는 바람 냄새가 난다고. 하지만 그가 섬에서 생활한 지 10년이 흘렀어도 여전히 토박이들에게는 '뭍의 것'에 속했다고 한다. 그의 사진을 보며 섬사람들은 그가 뭍에서 왔기 때문에 섬사람들이 찍은 것과 다르다고 했다. 하지만 그는 사진을 찍는 동기가 다르기 때문이라고 말했다.

세상이 변해 오늘날 뭍의 사람들은 섬으로 몰려와 바람 많은 척박한 땅에 뿌리내리려 한다. 사람 살 곳이 못 된다며 변방이라 부르던 시절, 토박이들은 살아남기 위해 피눈물을 흘렸었다. 인내와 희생만을 요구하던 시절을 살다간 그들의 땀과 눈물의 흔적이 이 땅에는 아직 남아 있다. 그렇게 살다 떠나간 토박이들의 흔적들을 한곳에 모아야 한다고 결심했다. 제주도에 정착하게 된 것은 섬에서 나만이 하고 싶은 이야기가 있기 때문이다. 뭍의 것들이기에 일상적인 풍경이 새롭게 다가오는 것이 아니다. 내 사진에 표현하고 싶은 주제(마음)가 다르기 때문이다.

　　　　　　　　　　　　　　　—《그 섬에 내가 있었네》, 김영갑, 129쪽

토박이들에게 섬사람 소리는 못 들었지만, 그는 제주도의 바람과 비, 구름을 읽는 사람이었다. 외로운 섬 노인들의 말벗이 되어주었고 삼성혈 신화에서 4·3사건까지 제주도의 역사를 깊이 이해하려 했다.

© 임종진

그는 사진을 통해 무엇을 이야기할지를 생각했다. 1년 내내 밭을 기어다녀도 궁핍함을 면하기 어려웠던 섬사람들의 삶을 온몸으로 겪으며 삶이 무엇인지 배웠다. 그는 말했다. '20년 동안 자연에 몰입하여 발견한 것이 이어도이며 제주인들이 꿈꾸었던 유토피아를 나는 체험했다'고.

제주도를 사랑하는 그의 마음, 제주도를 깊이 이해하고 평생의 화두로 삼았던 그의 의지와 열정을 쉽게 따라갈 수는 없으리라. 그래도 내가 '도민'인가 싶은 소심한 마음이 들 때면 김영갑 씨를 생각한다. 조용히 '나의 이야기'를 만들어가야겠다는 생각을 한다.

한번은 풍수지리학을 통해 오름을 탐방한다는 모임이 있어 체오름에 따라갔다. 체오름은 인물이 난다는 명당의 지세를 가진 곳이라 했다. 이 지역 인물이 누가 있을까 생각해보니 공교롭게도 체오름에서 불과 몇 킬로미터 떨어지지 않은 구좌읍 대천동에 김영갑 씨가 살았던 게 아닌가. 흥미로운 생각이 들어 그날 풍수지리 해설을 맡았던 제주관광대학교 안선진 교수에게 메시지를 보냈다.

"혹시 인물이 난다는 체오름의 명당 기운이 구좌읍 대천동까지 미칠 수 있을까요?"

"체오름은 덕천리에 영향력을 미치는 오름이고요. 구좌읍 대천동사거리는 부소악의 지맥을 받습니다."

은근히 아쉬웠다. 그렇지만 곧 이 엉뚱한 질문 자체가 어리석다는 생각이 들었다. 김영갑 씨는 중산간 지역의 오름들을 십수 년 동안 안방 드나들 듯 누비고 다닌 사람이다. 섬사람이 보지 못한 제주를 보았고 한평생을 오롯이 제주를 사진에 담는 데 바친 그였다. 그가 남기고 간 사진과 갤러리는 제주를 찾는 사람들의 발걸음을 끊이지 않게 한다. 어떤 설명이 더 필요할까.

우리 아들이 서른아홉인데

제주에 독감이 유행이라더니 몸도 무겁고 머리도 아픈 늦은 저녁. 누군가 우리 집 문을 쾅쾅쾅 부서져라 두드린다. 이상하다. 우리 집 대문을 두드리는 사람은 택배 아저씨가 유일한데, 이 시간에 누굴까? 방금 인터넷에서 지른 밥상이 벌써 육지에서 바다를 건너왔을 리도 없는데?

대문을 빼꼼히 열어보니 웬 할머니가 서 계신다. 농사일에 까맣게 탄 주름진 얼굴이지만 귀엽고 푸근한 인상이다. 문제는 처음 보는 할머니라는 것.

"여기 혼자 살아?"

"네. 그런데 무슨 일이세요?"

뭐라고 말씀을 하시는데 제주 사투리를 알아들을 수가 없다. 춥다며 안으로 밀고 들어오시는 할머니를 진작 안으로 모실 걸 싶다가도 아차, 당황스럽다. 며칠 치우지 않아 엉망인 집 꼴이 민망했다. 가스가 아까워 보일러를 꺼둔 탓에 전기장판에라도 들어와 앉으시라고 해도 "됐다"며 그냥 차가운 문간에 앉으신다. 나는 자꾸만 죄송스러워서 그 옆에 무릎을 꿇고 앉았다.

"어디서 왔어?"

"서울에서 왔어요."

"여기서 뭐하는데?"

"그냥 이것저것 해요."

"나이는 몇이고?"

"올해 서른넷 됐어요."

"아버지는 계시고? 형제는?"

"서울에 계시고요. 어머니도 계시고 오빠랑 저랑 있는데 오빠는 결혼 해서 애가 둘 있어요."

"우리 아들이 서른아홉인데 한번 만나봐. 수학 가르치러 다녀. 농사도 짓고. 땅도 있고."

이 무슨 대화란 말인가. 내가 왜 줄줄이 호구조사 하듯 내역을 읊고 있었던가. 아닌 밤중에 홍두깨라더니 이 밤에 앞집 할머니가 아드님 을 소개하러 오신 것이다.

"얼굴을 볼 게 아니라 남자가 성격이 요망져야지(제주 말로 똑똑하고 야

무지다는 뜻). 그럼 여자는 따라가면 되는 거야."

"아, 예……."

"오빠한테 커피 한잔 사주세요, 하고 당장 내일 만나봐. 몇 시에 시간 되는데?"

"네? 아…… 그게요……."

이거 참, 성격도 급하시다. 이를 어떡해야 하나? 어쩔 줄 몰라 하다가 할머니 면전에서 거절하는 것도 예의는 아닌 듯싶어 우선 〈오마이뉴스〉 시민기자 명함을 주섬주섬 꺼내 건네 드렸다.

"여기로 연락하라고 해주세요."

할머니가 명함을 들고 떠나신 뒤 갑자기 벌어진 황당 사건에 헛웃음이 났다. 시골에서 연결된 맞선 자리. 교회 집사인 엄마가 물어오는 맞선과는 느낌이 또 다르다. 혼자만 알고 있으려니 너무 웃겨서 당장 친구에게 전화를 했다.

"그래서 만날 거야?"

"응. 연락 오면 만나보지 뭐. 동네에 아는 총각 하나 있음 좋잖아? 가끔 명물식당 가서 소라구이에 한라산도 한잔 하고."

말이 끝나자마자 친구한테 호되게 혼이 났다. 진지하게 만날 생각도 없으면서 응하는 것은 상대에 대한 예의도 아닐 뿐더러 할머니에 대한 예의도 아니라는 것.

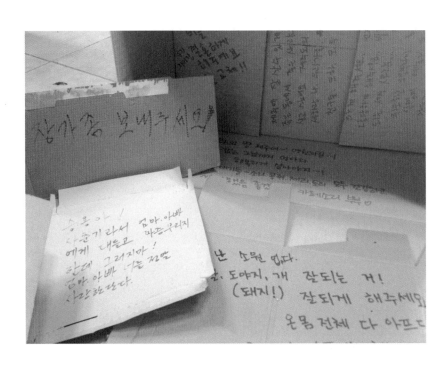

"네가 지금 무슨 짓을 하려는 건지 한번 잘 생각해봐."

친구의 목소리가 차갑다.

"그렇게 심각한 만남은 아니잖아? 가볍게 만나서 술 한잔 하고 친구 먹을 수도 있는 거지."

"그건 네 생각이고."

기분이 상해 전화를 끊었지만 곰곰이 생각해보니 아주 틀린 말도 아니다. 할머니의 진지한 마음을 우습게 만들 수도 있으니까. 그저 재미있는 얘깃거리 하나 건지려는 얄팍한 마음이라면 처음부터 만나지 말아야겠다. 그것이 답이었다.

다음 날 저녁, 대문이 또 쾅쾅 울린다. 어제 오셨던 그 할머니다. 이번엔 신발 벗고 성큼 안으로 들어와 자리를 잡으신다. 귤도 한 아름 안겨 주시면서.

"저녁 먹었어?"

"아니요, 아직."

"그럼 우리 집에 가서 비빔면에 소주라도 먹어."

"…… 지금요?"

망설이다가 할머니의 청을 뿌리치지 못하고 따라나섰다. 도착한 집은 아늑한 농가 주택. 그런데 아뿔싸, 아들로 보이는 총각이 누워 있다가 날 보고 황급히 일어나 주섬주섬 옷을 챙겨 입고 밖으로 나갔다. 예상치 못한 만남에 어색한 눈인사가 이뤄졌다.

할머니가 주방으로 들어가시더니 비빔면에 아강발(족발의 일종), 한라산소주까지 한 상 내오신다. 마을 바닷가 포구에 들어온다는 가두리양식장 주민 반대 이야기, 마을에 새로 들어온 외지인 이야기 등 마을 돌아가는 일들을 안주 삼아 염치불구하고 할머니와 소주 반병을 비웠다. 마침 이웃의 다른 할머니도 오셔서 다함께 나를 '스캔'하셨다. 이웃 할머니가 매의 눈으로 '검증' 들어가셨구나, 생각했다. 그럼 이제 다시는 우리 집에 안 오시겠지? 소주를 한 병 확 비워버릴 걸 그랬나?

예상은 빗나갔다. 할머니는 다음 날도, 그다음 날도 오셨다. 손에 한라봉을 들고, 떡을 들고.

"우리 아들 언제 만날 거야?"

"아, 할머니, 그게요……."

정작 본인들은 제대로 얼굴 한번 마주하지도 못했는데 할머니의 아들 장가 보내기 프로젝트는 꾸준하고 성실하다. 결혼 생각이 아직 없으니 불발로 끝난다 해도 할머니의 좋은 말벗으로는 남고 싶은데, 어찌해야 좋을까.

쾅쾅쾅, 오늘도 할머니의 문 두드리는 소리를 기다리는 밤이다.

잠수 타고 싶을 때

"내일 못 나올 수도 있어요."

모슬포항 대합실 직원의 말에 잠시 망설였다. 기상 상태가 좋지 못하다는 뜻이었다. 새해 둘째 날, 나는 마라도에 들어가는 배를 기다리고 있었다. 모슬포항에서 마라도까지는 여객선으로 불과 30분 거리다.

'뭐 어떻게든 되겠지. 설마 아주 못 나오기야 하겠어?'

배를 타고 선명한 산방산과 한라산의 모습을 넋 잃고 바라보는 사이 마라도에 도착했다. 배 안에는 우리 일행인 여자 셋 말고 남자 셋이 더 있어 안심이 됐다. 그런데 마라도 선착장에 도착하니 내리는 사람은 우리뿐이다. 알고 보니 남자 셋은 직원들.

살짝 불안해졌다. 배에서는 딱 우리 세 명만 내렸는데 타는 사람은

150명이 족히 되어 보였다. 우리를 싣고 온 배는 이 섬에 있던 사람을 싹 다 긁어 태운 뒤 유유히 멀어져갔다.

배에서 내려 금빛 잔디의 마라도를 걸으며 천천히 주변을 둘러봤다. 편의점이 하나 있고 관광객들을 대상으로 장사하는 중국음식점이 8개쯤 보였다. 민박도 있고 최근에 생긴 듯한 게스트하우스와 펜션도 눈에 들어왔다.

그런데 어느 한 곳도 문을 열지 않았고 사람도 보이지 않았다. 관광객들을 가득 태운 마지막 배가 떠난 순간, 마라도는 적막한 절간이 됐다. 이럴 줄 몰랐다. 그 유명한 마라도 짜장면 한 그릇도 먹을 수가 없다니.

"우리가 오늘 묵을 곳은 어디예요?"

일행에게 물었다.

"기원정사라는 절입니다."

'이럴 수가! 절간 속의 절간으로 가는구나.'

우리가 묵을 곳은 마라도 끝 언저리에 있는 기원정사라는 절이고 여기에는 '자발적 유배의 시간, 마라도 창작 스튜디오'라는 건물이 있다. 외부와 단절된 섬에서 창작에 매진하려는 작가들이 주로 머무는 곳이다. 창작 스튜디오에 들어서자 뭔가 묘한 분위기가 풍겼다. '자발적 유배의 시간'이라는 간판을 보면서 생각했다.

'나에겐 비자발적 유배의 시간이 될 것 같아.'

어디 나가서 짜장면 한 그릇 사 먹을 수도 없고 딱히 할 일도 없던 우리는 공양간이 있는 갤러리에서 귤을 까먹으며 이야기꽃을 피웠다.

전설이라는데 사실 실화야. 150여 년 전에 해녀들이 모슬포에서 배를
타고 마라도에 물질을 하러 들어왔지. 먹고살긴 힘들고, 물질은 해야
하고, 우는 애도 봐야 하니 물질하는 동안 애를 봐줄 열네 살짜리 '애기
업개' 여자아이도 같이 태워서 들어왔어. 그런데 며칠째 풍랑이 너무
세서 섬을 나갈 수가 없는 거야. 상군 해녀가 꿈을 꿨는데 애기업개를
제물로 바쳐야만 바다가 잠잠해져 나갈 수 있고 그러지 않으면 모두 죽
을 거라는 거야. 결국 사람들은 마음이 아프지만 그 열네 살짜리 애기
업개를 두고 가기로 했어.
'느가 달려강 저 지성귀 거렁 오라(네가 달려가 저 기저귀 거둬 오렴).'
애기업개가 바위에 걸린 기저귀를 가지러 간 사이에 사람들은 애기업
개가 목 놓아 부르는 소리를 뒤로 하고 노를 저어 떠나버렸어. 풍랑은
잠잠해져서 해녀들은 나갔지. 계절이 바뀌어 봄이 되고 사람들은 다시
마라도로 갔어. 그리고 모슬포가 보이는 언덕에 앉은 자세로 뼈만 남
아 죽은 애기업개를 발견했지.

어느 섬에나 있기 마련인 전설이다. 마라도에는 애기업개 할망당이 있
고 마라도 해녀들을 비롯한 마을 사람들은 수시로 이 할망당에 가서
제를 올린다. 섬에는 절도 있고 교회도 있는데 이렇게 할망당에 가서
비는 이유는 뭘까? 진짜 효험이 있어서일까?

이튿날 아침이 밝았다. 모슬포항에 전화를 해보니 바람이 세고 파도가 높아 하루 종일 결항이란다. 이런 상황에선 마음을 비워야 현명하다. 덕분에 조용히 책도 읽고 바다도 보면서 혼자만의 시간을 즐겼다. 마라도의 바람은 본 섬(제주도)에서 맞는 바람과 또 다르다.

섬 전체가 텅 빈 것 같다. 아무도 없이 나 홀로 있는 섬. 대한민국 최남단 마라도는 30여 가구 80여 명이 사는 섬이라는데 주민들은 어디 있는지 보이질 않는다. 작은 섬이라서 관광객들도 대략 한 시간쯤 머무르는데 짜장면 한 그릇씩 먹고 다시 배를 타고 떠난다.

인적을 찾을 수 없는 섬은 비할 데 없이 적막하고 고독하다. 조금 쓸쓸하긴 하지만 눈앞에 펼쳐진 금빛 잔디와 해안가 절벽의 절경, 끝없는 망망대해를 혼자 전세 낸 것처럼 감상했다. 마치 애기업개라도 된 것처럼 사방팔방 섬을 헤매고 다녔다.

애기업개당에 환타라도 사서 바치고 싶었다. 열네 살 아이였으니 술이 아니라 단 것을 바쳐야 한다는 말을 어디선가 들은 기억이 났다. 편의점에 들렀지만 문을 두드려도 사람이 나오지 않았다. 결국 빈손으로 찾은 할망당에선 산방산이 선명히 바라다보였다. 모슬포가 눈에 들어온다. 살던 마을이 눈앞에 잡힐 듯 보이는데 섬을 나갈 수 없었던 애기업개의 안타까움이 전해져오는 듯하다.

어린 아이를 혼자 남겨두고서라도 섬을 나가야 했던 사람들. 모질다. 왜 그렇게까지 해야 했을까. 전설이란 본디 언제 일어난 일인지 정확하지 않다. 150년 전 일이란 말도 있고 수백 년 전이란 말도 있다. 아무튼 당시 섬사람들의 삶을 조금은 짐작할 수 있을 것 같다. 화산섬이기 때문에 제주도의 땅은 농사에 적합한 비옥한 땅이 아니다. 그래서 섬사람들의 생활은 항상 넉넉하지 않았다. 해녀들은 농사를 짓고 또 차디찬 물에 들어가 소라, 전복, 톳을 채취하며 가정 경제를 책임지는 가장 역할을 해야 했다. 조선시대에는 관리들의 수탈에 시달려 이재수의 난을 비롯해 생존권을 위한 민란이 줄지어 일어났다. 해녀들은 어떻게든 섬을 나가야 했을 것이다.

세상 돌아가는 이야기를 나누며 적막한 섬에서 다시 하루를 보냈다.
"사람들이 왔다가 쑥 빠져나가면 더 쓸쓸해지지 않으세요?"
절을 지키는 보살님에게 물으니 그는 헛헛한 웃음을 짓고 만다. 묻는 내가 괜히 머쓱해졌다. 다음 날 아침, 일행의 외침에 눈을 떴다.
"고깃배가 하얗게 떴어!"
절 앞 바다에 가득 떠 있는 배들이 반갑다. 크고 작은 불상들이 바다에 뜬 배를 축복하는 것 같았다. 절 입구의 불상들은 절에 들어서는 사람들을 맞이하기 위해 서 있는 줄 알았는데 다시 보니 모진 풍랑 속의 뱃사람들을 걱정하며 지켜보는 듯했다.
우리가 무사히 섬을 나갈 수 있도록 지켜봐 줄 부처님과 불상들을 뒤로 하고 절 밖으로 나섰다. 고깃배가 떴다면 우리가 나갈 배도 틀림없이 들어오고 다시 관광객들이 구름처럼 몰려들 것이다. 아니나 다를 까, 배가 사람들을 가득 태우고 와서 마라도에 쏟아놓는다. 사람들은 한 시간 정도 머무르며 구경한 뒤 짜장면을 먹고 섬을 나갈 것이다.

어쩌면 애기업개 할망이 외로움 때문에 우리에게 좀 더 머무르라고 붙잡은 건 아닐까? 마라도는 작은 섬이지만 천천히 돌아보며 사색을 하기에 좋은 곳이다. 하루 이틀 자발적 유배의 시간을 갖는 것도 나쁘 지 않다.

함께 배를 타고 나가겠다던 보살님은 망설이다 결국 나가지 않으셨 다. 혼자 돌아오는 길이 쓸쓸해서 싫으시단다.

"잠수 타고 싶을 때면 다시 와."

그러겠다고 약속하며 모슬포로 가는 배를 탔다. 환타를 단에 올려놓 지 못해 미안했던 애기업개 할망에게 마음속으로 안녕을 고했다. 배 는 물살을 가르며 시원하게 달렸다.

살자, 여기서, 살아보자

기상예보를 보니 오후에는 비가 온다고 한다. 바람도 틀림없이 거세질 것이다. 그래도 오늘은 오름에 가기로 마음먹은 날이니 채비를 하고 나섰다.

제주도 남서쪽에 있는 대평리에서 차로 달리기 시작해 5·16도로를 거쳐 오른쪽 비자림 방향인 1112번 도로로 향했다. 한 시간 반쯤 달렸을까. 완연한 가을 길가의 흐드러진 억새풀에 정신이 팔려 피곤한 줄도 몰랐다. 마침내 제주 동북쪽 구좌읍에 있는 용눈이오름의 굽이치는 능선이 눈에 들어왔다.

제주도를 몇 번 가보니 더는 볼 것이 없고 어딜 가도 비싸기만 해서 별로였다는 사람을 가끔 본다. 그러면 난 묻는다. 용눈이오름이나 다랑쉬오름에 가봤느냐고. 오름에 올라봤다면 그런 말을 하지 않으리라 200퍼센트 확신하기 때문이다.

하긴 이렇게 말하는 나도 2009년부터 제주도를 자주 드나들었지만 본격적으로 오름에 가기 시작한 것은 제주에 정착하고 나서부터다. 그리고 알게 됐다. 제주의 진면목을 보려면 오름에 가야 한다는 것을. '오름의 왕국' 제주도에는 360여 개의 오름이 있다. 오름은 '작은 산'을 의미하는 제주 말인데 큰 화산 옆에 붙어 생긴 작은 화산이라서 기생화산이라고도 한다. 오름의 숫자만큼이나 다양하고 또 이름난 오름들도 많다. 제주의 대표적 관광지인 산굼부리도 오름이다. 세계자연유산으로 등재된 조천읍의 거문오름은 상당히 큰 규모를 자랑하는데, 사전 예약자에 한해 전문 해설가의 안내로만 갈 수 있다.

나처럼 '저질 체력'이면서 관광객이 많지 않은 한적한 곳을 좋아한다면 부담 없이 오를 수 있되 오름의 풍광을 만끽할 수 있는 용눈이오름이나 다랑쉬오름을 추천한다. 이 오름들은 제주공항에서 차로 한 시간 정도의 거리에 있다.

용눈이오름은 기생화산이 터지면서 여러 개가 포개지고 능선과 굼부리가 흘러내려 굽이치는 곡선과 같은 형상이 되었다. 꼭 용이 노는 모습 같아서 혹은 용이 누워 있는 것 같아서 '용눈이오름'으로 불린다. 용눈이오름에는 한 개의 큰 굼부리(분화구)와 세 개의 작은 굼부리가 있다. 동쪽 비탈은 남동쪽으로 얕게 벌어진 말굽형을 이루고 남서쪽 비탈이 흘러내린 곳엔 곱다랗게 알오름이 딸려 있다. 알오름은 오름 속에서 생긴 새끼 오름이다.

용눈이오름의 표고(바다의 면이나 어떤 지점을 정하여 수직으로 잰 일정한 지대의 높이)는 250미터 정도라서 탐방로를 따라 정상까지 15분이면 넉넉히 올라갈 수 있고 경사도 급하지 않다. 정상의 분화구도 10분이면 돌 수 있다. 등산이라기보다는 왕릉의 능선을 걷는 것 같다. 숨을 헐떡이지 않고도 올라갈 수 있는 착한 오름이면서 정상에 오르면 사방이 탁 터진 광경에 정신줄을 놓게 만드는 멋진 곳이다.

다른 오름도 많이 가봤지만 나의 첫사랑 오름은 2012년 여름에 만난 용눈이오름이다. 첫사랑에는 사연이 있는 법. 그해 여름에 나는 서울을 버리고 제주도에 왔다. 수중에 가진 것도 없고 연고도 없고 집도 없고 먹고살 뾰족한 기술도 없는 직장인 나부랭이였던 내가 제주도에 살겠다고 굴러들어 왔다. 희망과 기대? 물론 새로운 곳에서 왜 부푼 마음이 없었겠는가. 그럼에도 한편으론 이주를 넘어 '이민'이라고까지 표현되는 제주도에 제대로 정착을 할 수 있을지 걱정이 앞섰다. 밤마다 심란함에 애꿎은 한라산소주만 잡아먹는 날들이었다.

그러다가 사진작가 고 김영갑 씨의 사진 속 오름이 눈에 들어왔다. 20년간 오름에 천착하며 찍어온 그의 사진들을 종종 보면서도 좀처럼 오름에 가는 것은 미루고 있던 나였다. 그런데 어느 날 생각해보니 김 영갑 씨도 나처럼 육지에서 온 '육지 것'이 아닌가. 그런 그가 미쳐 있던 오름이 대체 어떤지 직접 보고 싶었다. 그의 사진 중 상당수가 용눈이오름과 다랑쉬오름을 찍은 것이다. 나는 상대적으로 오르기 쉽다는 용눈이오름을 골랐다.

처음 올라가던 날을 잊지 못한다. 마을을 벗어나 버스도 들어오지 않는 인적 없는 꼬불꼬불한 길을 찾아 들어가면서, 눈앞에 봉긋봉긋 솟아 있는 오름들을 쳐다보면서 속으로 '여기가 제주도 맞아?'를 연신 외쳤다. 제주도라고 하면 바다부터 떠올리던 나는 군락을 이뤄 대칭 형태의 작은 봉우리들이 무수히 솟아 있는 제주도 동쪽 광경이 무척 생경했다.

드디어 오름 정상에 올랐을 때, 가까이는 늠름하게 서 있는 다랑쉬오름을 시작으로 저 멀리 성산일출봉까지 동서남북의 광경이 막힘없이 파노라마로 펼쳐졌다. 제주라는 섬이 통째로, 날 것 그대로 삽시간에 뛰어들어 오는 느낌이었다. 그때 비로소 내 마음이 말했다.

'살자, 이곳에서. 살아보자.'

한껏 빠져버린 오름들이 사시사철 변하는 모습을 내 눈으로 꼭 보고

야 말겠다고 마음먹었다. 이때부터 나의 오름 사랑이 본격적으로 시작되었다. 오름은 정복의 대상이 아니다. 한라산처럼 등산 장비를 갖추지 않아도 된다. 운동화를 신고 능선을 따라 가볍게 오르면 된다.

오름을 걷다 보면 어느새 토닥토닥 위로를 받는 느낌이다. 누군가에게 상처받아 마음이 아플 때, 그립고 생각나는 이가 있을 때, 나는 오름에 오른다. 정상에 누워 불어오는 바람을 온몸으로 느끼고 이소라의 노래 '바람이 분다'를 들으면서 잠시 옛 기억에 빠지기도 한다. 눈앞에 펼쳐지는 믿을 수 없이 시원한 광경을 보면서 "그래, 흘려보내자"라고 속삭이게 된다. 용눈이오름은 속 이야기를 털어놓으며 눈물을 보여도 탓하지 않고 조용히 들어주는 친구 같은 존재다.

용눈이오름에서 내려와 다랑쉬오름으로 갔다. 이 두 오름은 불과 1킬로미터 떨어져 있다. 다랑쉬오름은 용눈이오름과 달리 표고가 382미터, 밑지름이 1000여 미터, 전체 둘레가 3400여 미터에 이르는 넓고 높은 오름이다. 입구에서 탐방로 정상까지 600여 미터이고 걸어서 30분 정도 걸린다. 오름의 분화구가 마치 달처럼 둥글어 보인다고 해서 '다랑쉬오름'이라는 아름다운 이름을 얻었다.

다랑쉬오름은 '오름의 여왕'이다. 형상 자체가 가진 대칭의 아름다움도 그렇지만 탐방로를 따라 올라가면서 뒤로 보이는 무수한 오름들의 멋진 광경에 푹 빠져들게 된다. 힘든 줄도 모르고 정상을 향해 발걸음을 재촉하는 이유다.

다랑쉬오름은 구좌읍 세화리와 종달리에 걸쳐 있는데 구좌는 1932년 1만 7000명이 참여하고 대대적인 항일운동시위로 이어진 '제주해녀 항일운동'이 일어난 곳이다. 구좌 잠녀(해녀) 300명의 세화리 장날 시위가 시발점이었다. 현기영의 소설 《바람 타는 섬》에서 다랑쉬오름은 세화리 해녀 여옥이 청년사회주의자들과 만나 시위 계획을 세웠던 곳으로 그려졌다. 연모하는 청년 시중을 오랜만에 만나 애틋함을 느끼는 곳이기도 하다.

다랑쉬오름을 내려와 상쾌한 마음으로 집에 가고 싶지만 들러야 할 곳이 있다. 탐방로 주차장에서 그리 멀지 않은 곳에 팽나무 한그루가 서 있다. 이 나무는 이곳이 다랑쉬 마을 터였음을 알려준다.

다랑쉬 마을 주민들은 제주 4·3사건 때 경찰병력이 투입되면서 다른 곳으로 이주했다. 사람이 살지 않게 된 마을은 전소됐고 '잃어버린 마을'이 됐다. 그 좁다란 흙길을 따라 더 들어가면 다랑쉬굴로 가는 길이 나온다.

사건 당시 인근 해안가 마을에서 미처 피신하지 못하고 다랑쉬굴로 숨어들어 간 아이 한 명과 여성 세 명 등을 포함한 열한 구의 시신이 발견됐다. 군경토벌대를 피해 숨어 다니던 구좌읍 하도리, 종달리 마을 사람들이었다. 이들은 토벌대가 굴 입구로 불어넣은 연기에 질식

해 죽었다.

다랑쉬굴은 근처 오름들의 탐방로와는 달리 사람을 찾아볼 수 없다. (사실 혼자서 비바람까지 부는 날 다랑쉬굴에 가려면 좀 무섭다.) 잡초만 무성한 굴을 바라보고 서 있으니 슬픔이 밀려온다. 다랑쉬굴을 가리키는 이정표가 제주의 센 바람에 넘어져 있다. 돌을 다시 덧대어 이정표를 바로 세우고 나오는데 발걸음이 무겁다.

늦가을에 제주에 간다면 꼭 오름에 올라보자. 물론 사시사철 언제라도 좋다. 지금까지 당신이 알지 못했던 제주에 눈을 뜬다는 데 고등어회 한 접시를 걸겠다. 그만큼 좋다는 소리다.

아름다운 곳에 널려 있는 슬픔들

제주국제공항을 빠져나오면 한라산이 눈앞에 들어오는데 날씨에 따라 한라산이 잘 보이기도 하고 그렇지 않기도 하다. 그래서 공항에서 나오자마자 선명한 한라산을 볼 수 있으면 삼대가 복을 쌓은 사람이라는 우스갯소리도 있다. 그만큼 제주의 날씨가 변화무쌍하다는 이야기다.

공항에 도착한 그날은 날씨가 흐린데도 묘하게 한라산이 아주 선명하게 들어왔다. 대평리에 있는 집으로 곧장 가려니 아쉬운 마음이 들어 영화 〈지슬〉 포스터도 받을 겸 제주시에 있는 간드락 소극장에 들르기로 했다. 2013년 3월 1일 제주에서 개봉한 〈지슬〉은 제주 4·3 사건을 소재로 한 영화다. 선댄스영화제, 브졸국제아시아영화제 등 여러 권위 있는 국제영화제에서 상도 받았다. 제작비가 부족해 빚을 내고 스태프들이 고생하며 만들었다기에 포스터를 받아다가 우리 동네 전신주에라도 붙일 요량이었다.

극장 앞에 도착하니 도내 방송사와 신문사 차량이 가득하다. 소극장 대표에게 물었다.

"언론사 차가 왜 이렇게 많아요?"

"오늘 〈지슬〉 기자 간담회잖아. 너도 그래서 온 거 아니야?"

기자 간담회가 열린다기에 슬쩍 안으로 들어갔다. 〈지슬〉의 오멸 감독과 고혁진 프로듀서가 기자들의 질문에 답하고 있었다.

"〈지슬〉은 이념을 다룬 게 아닙니다. 4·3은 사람의 이야기로 보는 게 중요합니다."

"아직도 4·3을 두고 폭도다 빨갱이다 폄하하는 표현을 합니다. 잊지 말아야 할 사실은 밭 일구고 바다에서 일하던 순박한 사람들이 죄 없이 죽임을 당했다는 것입니다."

"알다시피 3만 명 이상이 4·3으로 돌아가셨습니다. 돌아가신 숫자만큼은 알려야 한다는 숙제가 있습니다. 그 숫자만큼은 영화를 보게 해야 한다는 취지입니다. 3주간 관객 1만 명, 두 달 동안 3만 명이 목표입니다. 우리나라 독립영화 현장에서는 불가능한 수치겠지만 지방에서 독립영화 관객이 1만 명을 넘는다면 영화적 사건이 되고, 3만 명이

ⓒ 임종진

넘으면 사회적 사건이 될 수 있습니다. 이렇게 되면 4·3을 다시 한번 돌아보게 하는 계기가 될 것입니다."

영화 〈지슬〉의 중심 이야기는 4·3사건 당시 큰넓궤 동굴로 피신한 마을 사람들의 이야기다. 4·3에서 '사람'을 봐달라고 한 말은 결코 공허한 주문이 아니었다. 현재도 그 의미가 살아 있기 때문이다.

〈지슬〉 개봉 며칠 전, 경기도에서 《경기도현대사》라는 공무원 교육교재를 발간했는데, 4·3사건에 대해 다음과 같이 기술했다.

"제주도 공산주의 세력이 대한민국의 건국에 저항하여 일으킨 무장 반란이었다."

사람은 온 데 간 데 없고 사건만 있다. 당시 죽은 사람이 노인과 어린아이들을 포함해 공식 집계로만 3만 명 이상인데, 그분들은 이 문장 중 어디에도 없다.

제주4·3사건이란 1947년 3월 1일을 기점으로 1948년 4월 3일 발생한 소요사태 및 1954년 9월 21일까지 제주도에서 발생한 무력충돌과 그 진압 과정에서 주민들이 희생당한 사건을 말한다.

— 제주4·3사건 진상규명 및 희생자 명예회복에 관한 특별법 제2조

제주4·3사건은 "1947년 3월 1일 경찰의 발포사건을 기점으로 하여,

경찰·서청(서북청년단)의 탄압에 대한 저항과 단선·단정 반대를 기치
로 1948년 4월 3일 남로당 제주도당 무장대가 무장봉기한 이래 1954
년 9월 21일 한라산 금족지역이 전면 개방될 때까지 제주도에서 발생
한 무장대와 토벌대 간의 무력충돌과 토벌대의 진압 과정에서 수많은
주민들이 희생당한 사건"이라고 정의할 수 있다.

— 제주4·3사건 진상조사보고서, 2003년, 536쪽

4·3사건을 설명하는 공식적인 내용들이다. 《경기도현대사》를 만든
사람들 그리고 이를 묵인하는 사람들이 영화 〈지슬〉을 꼭 봤으면 좋
겠다. 오멸 감독의 이야기를 함께 기억하면서.
"우리의 통증을 안으로부터 어떻게 바라보고 재인식하는지가 중요합
니다. 올바르게 사건을 정리하고 이해하고 기록해야 합니다."

진실을 가릴 수 없다는 듯 흐린 날씨에도 한라산은 우뚝 그곳에 서 있
다. 오히려 내 눈엔 더욱 선명하게 보였다. 기자 간담회가 끝나고 〈지
슬〉 포스터를 들고 가려는데 간드락 소극장 대표님의 목소리가 쩌렁
쩌렁 내 뒤통수에 꽂힌다.
"대평리는 네가 책임져라!"
그럴 능력은 없지만 아는 도민을 총동원해야겠다. 관객 3만 명 달성
을 위해.

무명천에 남겨진 고통

서울보다 먼저 찾아온 봄기운을 따라 관광객들의 발걸음이 부쩍 늘어났다. 나도 육지에서 온 관광객 흉내를 내며 올레길을 쏘다니다가 완연한 봄 날씨에 젖어 제주의 4월을 실감한다.

제주의 4월은 분주하다. 4·3사건 관련 추념 행사가 다양하게 마련되고, 4·3유족회에서는 박근혜 대통령의 4·3 위령제 참석을 요구했다. 섬에 갓 들어온 새내기 도민이지만 도움이 될 만한 일이 없을까 찾아보던 나는 '제주주민자치연대'로 전화를 걸었다. 제주 4·3사건 피해자의 상징적 존재인 진아영 할머니, 일명 '무명천 할머니'의 삶터지킴이 자원봉사자를 구한다는 소식을 들었기 때문이다.

"삶터지킴이 자원 활동을 신청하려고요."

"아, 네. 어머니세요?"

"서귀포 대평리에 사는 아가씨입니다. 작년 여름에 서울에서 왔어요. 가도 될까요?"

"아, 네, 흐흐. 곧 4월 3일이 다가오는데 할머니 집 정비를 해야 해서 요. 동네 개들이 와서 싼 똥도 치워야 하고 화초도 심어야 해요. 월령 리로 오전 10시까지 오세요."

'아가씨'를 너무 꾹꾹 힘줘 말했나? 살짝 후회를 하면서 전화를 끊었 다. 개똥 치우는 일이야 게스트하우스에 묵을 때도 여러 번 해봤으니 괜찮았다.

진아영 할머니는 4·3사건 피해자들의 아픔을 상징적으로 대변해오 신 분이다. 할머니는 1949년 서른다섯의 나이에 경찰이 발포한 총에 턱을 맞고 그 후 한평생을 무명천으로 턱을 가리고 사셨다. 제대로 말 도 못하고 후유장애에 시달리다가 2004년 9월 아흔의 나이로 돌아가 셨다.

할머니가 돌아가신 후 한경면 월령리에 있는 할머니의 집을 보존하기 위해 삶터보존회가 꾸려졌다. 시민사회단체인 제주주민자치연대에서 2008년부터 두 달에 한 번씩 자원봉사자를 모집해 할머니의 집을 가 꾸고 있다. 자원봉사자들과 함께 4·3순례기행을 떠나기도 하고 9월 8일 할머니 기일에 맞춰 마을문화제도 준비한다.

월령리 마을에 도착했지만 길치인 나는 집 찾기가 쉽지 않았다. 지나가는 할머니를 붙들고 물어물어 도착한 정말 작은 집. 그 앞에서 두리번거리고 있는데 제주주민자치연대 사람들과 자원봉사를 신청한 아이들이 도착했다. 정낭(제주도의 옛날 대문에 걸쳐놓은 굵은 나뭇가지)을 내리고 집 안에 들어서자 동네 개들이 들어와 싸놓은 똥 무더기로 작은 텃밭은 발 디딜 틈이 없었다. 두 달에 한 번씩 청소를 해도 쌓이는 양이 엄청나 보였다.

목장갑을 끼고 삽으로 개똥을 퍼서 봉투에 담기 시작했다. 다행이 똥이 굳어서 냄새는 나지 않았다. 조심조심 삽질을 하고 있는데 옆에 있는 여자아이는 장갑 낀 손으로 개똥을 집어서 푹푹 잘도 치운다. 처음 하는 솜씨가 아니었다.

무안한 마음에 삽을 슬그머니 내려놓고 집 안으로 들어섰다. 할머니가 주무시던 두세 평 남짓한 방 한 칸과 주방이 전부였다. 생전에 생활하시던 모습이 그대로 다가왔다. 할머니가 덮던 이불, 신던 신발, 쓰던 가재도구가 정갈하게 잘 정리되어 있었다. 할머니의 턱을 덮었던 하얀 무명천들과 벽에 걸려 있는 할머니의 사진들이 생전의 고통스러웠던 삶을 떠올리게 했다. 이곳을 잘 보존하기 위해 얼마나 많은 사람들의 고민과 노력이 있었을까? 삶터보존회와 자치연대에 고마운 마음이 들었다.

어른들은 텃밭을 정리한 뒤 가져온 꽃을 심고 아이들은 잡초를 뽑거나 할머니가 쓰시던 이불을 꺼내 돌담에 널고 먼지를 털었다. 방바닥의 먼지도 정성껏 비질을 했다. 호미질을 해본 적도 이불을 널어본 적도 없을 것 같은 아이들이 힘들다는 소리 한마디 없이 따스한 봄 햇살 아래 즐겁게 집 안팎을 청소했다. 비질을 하는 여학생에게 물었다.

"자원봉사 점수 준다고 해서 왔니?"

"아니에요. 흐흐."

"그럼 하고 싶어서 온 거야?"

"친구가 먼저 하고 왔는데 저한테도 가보라고 했어요."

아이의 목소리에선 진심이 느껴지고 비질하는 손길에선 정성이 느껴졌다. 아이들은 그렇게 돌아가신 할머니를 알고 할머니의 삶을 보고 직접 그 집을 치우고 방명록에 할머니에게 편지를 쓰면서 제대로 된 역사를 배우고 있었다.

🌙

"태풍 때는 더 걱정이 되시겠어요."

텃밭을 정리하고 한숨 돌리고 있는 자치연대 사무처장님에게 다가갔다.

"아무래도 그렇죠. 뭐 날아가지나 않을까 싶고."

"찾아오는 사람이 많아요?"

"올레길 걷다가 일부러 찾아오는 분들은 계세요."

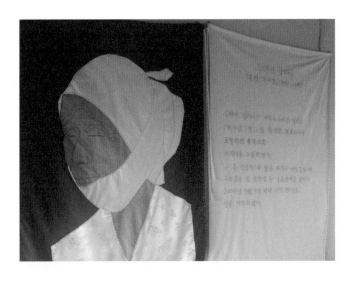

마을 안쪽에 있는 집을 일부러 찾아와 보는 올레꾼들이 있는 모양이다. 올레길 14코스가 월령리를 지나는데 유명한 협재와 금릉 해수욕장도 지척이다. 14코스를 걷는 올레꾼들은 월령리에 오면 잠시 시간을 내어 할머니 집을 돌아보면 좋겠다.

두 시간 남짓 집 정비를 끝내고 나오자 몇 백 미터도 지나지 않아서 마을에 인접한 바닷가가 보였다. 무명천 할머니도 가끔은 이 바다를 하염없이 바라보셨을까, 생각하며 도로에 들어서니 아까 열심히 청소하던 아이들이 버스정류장에 옹기종기 모여 있다.

"너희들 어디로 가니?"

"협재요. 얘가 라면 끓여준대요."

"태워줄까? 타!"

"와~!"

할머니 집에 가본 소감을 묻자 어느새 저희들끼리 4·3사건에 대해 왁자지껄 이야기를 나눈다.

"근데 언제 일어난 일이야?"

"1948년이래. 7년 6개월 동안 사람들이 엄청 많이 죽었대."

"7년 6개월이나? 근데 1948년이면 그리 오래된 일도 아니네?"

"응. 우리 할머니는 그때 숨어 지냈던 얘기도 해줬어."

협재의 푸른 바닷가에 아이들을 내려주니 청량한 목소리로 다 같이 인사를 한다.

"다음에 또 봐요!"

"그래! 우리 또 보자!"
아이들과의 약속을 지키기 위해서라도 할머니 집에 또 가야겠구나,
생각하며 대평리 집으로 향했다.

제
주
의

푸
른

밤
、

그

별

아
래

카페 '소리'

제주에서 음악과 커피의 더없는 조화를 원한다면?
따뜻하고 멋진 주인장을 만나고 싶다면?
나는 망설임 없이 이곳을 저지리의 대표 카페라 말한다.
개, 고양이, 오리 등 동물 친구들도 반겨준다.

비양도가 보이는 금릉 바닷가

지금 사는 곳 저지리에서
멀지 않은 금릉 바닷가.
마음이 울적한 날이면
비양도가 바라다보이는 금릉 해변에 가서
맥주 한 캔 들고 퍼질러 앉는다.
그러면 더 우울해진다. ㅋㅋ

용눈이오름

자주 가지는 못하지만 항상 마음 한구석에 있는 오름.
높지 않은데도 오르는 재미를 주는 능선과 시원한 전망이 최고다.
용눈이오름에 오르면 언제나 행복하다.

김영갑 갤러리 두모악

섬의 모든 것, 아름다움, 외로움까지 깊이 담아낸
사진작가 고 김영갑 씨의 갤러리.
루게릭 병으로 투병하는 동안 손수 만든 두모악에는
제주를 사랑한 그의 인생이 '영원히' 기록돼 있다.
제주에서 외지인으로 사는 일이 힘겹게 느껴질 때면
항상 이곳을 찾는다.

차귀도

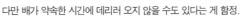

수월봉에서 바라보는 풍경도 멋지지만
배를 타고 차귀도 안으로 들어가야 참맛을 느낄 수 있다.
특히 마지막 배를 권한다. 운 좋으면 무인도를 전세 낸 듯 탐험할 수 있다.
다만 배가 약속한 시간에 데리러 오지 않을 수도 있다는 게 함정.

곶자왈 트라우마

○

제주도에는 곶자왈이 있다. 제주를 여행하는 사람에게 곶자왈은 오름과 함께 육지에서는 찾아보기 어려운 제주만의 독특한 자연을 만날 수 있는 매력이 있는 곳이다. 곶자왈은 생태계의 보고라고 할 정도로 나무와 덩굴식물, 암석이 뒤엉켜 있는 숲으로, 세계에서 유일하게 열대 북방한계 식물과 한대 남방한계 식물이 공존한다. 제주도의 동부와 서부지역에 분포하며, 조천-함덕 곶자왈 지대, 구좌-성산 곶자왈 지대, 애월 곶자왈 지대, 한경-안덕 곶자왈 지대 등 4개 지대로 구분된다. 긴 곳은 15킬로미터에 이른다.

어느 날 육지에서 놀러 온 친구의 "곶자왈에 가자"는 말에 나는 쭈뼛 긴장했다. 내게는 '곶자왈 트라우마'가 있기 때문이다. 청수곶자왈에서 뭔가에 홀린 듯했던 그날의 묘한 경험을 아직도 잊지 못한다.

게스트하우스에서 만난 사람들과 올레길을 같이 걷기로 한 날이었다. 올레길 14-1코스의 중간 즈음에는 제주시 한경면 소재의 청수곶자왈과 무릉곶자왈이 있다. 오설록티뮤지엄에서 오른쪽 방향으로, 곶자왈을 둘러싸고 있는 돌담을 끼고 조금 내려가다 보면 올레길로 진입할수 있다. 30대 초중반의 세 여자는 올레길 표식인 파란 리본을 발견했고 대충 이쯤이겠지 싶어 무작정 숲으로 발을 들였다. 드디어 말로만 듣던 곶자왈로 들어선 것이다.

○

신세계가 펼쳐졌다. 비자림이나 사려니 숲길과는 또 달랐다. 이름을 알 수 없는 생경한 원시림의 울창함이 있었다. 길을 잃을까 봐 나무에 달린 파란 리본을 따라 열심히 걸은 지 30분쯤 됐을까? 이상하게도 점점 길을 찾기가 어려웠다. 이쪽이 맞는지 저쪽이 맞는지 분간이 되지 않았다. 곶자왈의 생태계 감상은 이미 저 멀리 달아났을 무렵 한 친구가 말했다.

"어디로 가야 할지 모르겠어. 밖으로 나가야 하지 않을까?"

동서남북 어디로 가야 할지 방향을 놓친 우리는 그 말에 동의했지만 나가는 길이 어딘지 알 수가 없었다. 세 여자가 나무에 붙은 리본을 찾기 위해 눈에 불을 켰지만 속수무책이었다. 지금 보는 나무가 아까 본 나무 같고 분명히 이쪽에 리본이 있었던 것 같은데 다시 보니 없었다. 앞 사람 뒤통수가 보이지 않을 만큼 거뭇하게 어두운 울창한 숲 속에서 두려움에 휩싸인 우리는 숲을 빠져나가기 위해 필사적이었다.

"이쪽인가? 아니, 저쪽인 것 같아."

"리본이 없어요. 어떡하지?"

결국 갈피를 잡지 못하게 되자 드문드문 나타나는 리본 찾기마저 포기해버렸다.

"오설록 부근에서 도로공사를 하고 있었으니까 소리 나는 쪽으로 나가면 될 거야."

"이상해. 아까 왔던 곳이야."

"모르겠어. 길이 변하고 있는 것 같아."

마음속에 피어나던 불길한 생각을 입 밖으로 꺼낸 순간, 두려움은 점점 더 커지기 시작했다. 휴대전화의 신호는 약했고 지도 어플을 실행시키면 위치가 잡히지 않고 엉뚱한 곳만 가리켰다.

해라도 지면 정말 큰일 날 것 같았다. 소리가 나는 쪽을 향해 최단 거리로 움직이기로 했다. 우리가 직접 길을 만들어야 했다. 가시덤불이 살을 할퀴고 옷을 붙들자 '이 숲이 나를 보내줄 생각이 없는 건가' 하는 엉뚱한 생각마저 들었다.

"언니, 여기 소주병이 있어요."

바닥에 뒹구는 소주병을 발견한 우리는 기뻐서 소리를 질렀다.

"진짜? 사람이 있긴 했구나. 근데 좀 오래되어 보이는데?"

"혹시 이게 그 사람이 마신 마지막 소주는 아니겠지?"

가시덤불을 헤치면서 한참을 헤매다 보니 어느새 공사장 소리가 점점 가까워졌다.

"밖이 보이는 것 같아!"

처음 진입했던 곳에 다시 이르러서야 우리는 알게 되었다. 두 시간가량을 그 주변만 뱅뱅 돌고 있었다는 것을.

"너희들 아무래도 뭐에 홀린 것 같다. 거기가 그런 곳이 아닌데……."

기운이 다 빠져버린 우리를 데리러 온 게스트하우스 주인장은 고개를 갸우뚱했다.

○

억울하게 죽은 수많은 영혼들이 있고 또 무속신앙이 강한 제주도에는 사람들이 헛것을 본 이야기가 많다. 다양한 헛것 이야기 중 곶자왈 이야기도 있다. 옛날에 어떤 사람이 밤늦게까지 돌아오지 않아 마을 사람들이 찾아다녔는데 곶자왈 가시덤불 속에 피범벅이 되어 있더란다. 도깨비에 홀려 숲 속을 헤매다 정신을 잃은 것. 그날의 공포와 헛것 이야기가 겹치며 머리끝이 다시 쭈뼛해지자 나는 친구에게 투덜거렸다.

"이런 나를 데리고 곶자왈에 꼭 가야겠니?"

"그럴수록 다시 가서 극복을 해야지!"

친구에게 등 떠밀려 거의 반년 만에 다시 찾은 청수곶자왈. 기억을 더

© 임종진

들어 곶자왈로 진입하는 길을 차분히 찾다 보니 예전에 뭐에 홀린 듯이 곶자왈을 빠져나오지 못했던 이유를 알 것 같았다.

우리는 곶자왈 입구가 아니라 사람이 잘 다니지 않는 곶자왈 옆구리로 들어갔던 것이다. 올레길 코스가 바뀌었는지는 몰라도 그때는 리본이 붙어 있었고 사람이 걸어들어 갈 만했다. 하지만 길을 잃고 다시 역방향으로 나오려다가 헷갈린 것이다.

제대로 입구를 찾아 들어간 곶자왈은 순방향이든 역방향이든 길을 잃을 여지 따윈 없어 보였다(혹시 모르니 올레길을 걷게 되면 곶자왈 길은 순방향을 권한다). 외국인들이 마라톤 반바지를 입고 달리며 "안녕하쎄요"를 외치는 것을 보니 과거의 기억이 무색했다.

청수곶자왈이 끝나자 무릉곶자왈이 이어졌다. 길은 조금 험해졌지만 한 번도 길을 잃지 않고 무사히 14-1코스의 종점까지 올 수 있었다. 나의 곶자왈 트라우마는 이렇게 우습게 극복되었다.

고사리에 취하다

○

제주에 살면서 알게 된 것 중 하나는 생활 속의 소소한 즐거움이다.
겨울엔 귤 밭에서 일하고 가져온 귤과 앞집 할머니가 주신 귤로 귤술
을 담가 먹었고, 최근엔 식비 절감과 재미를 동시에 가져다줄 만한 것
이 무엇일까 고민하다 초절임 한 통을 가득 담갔다. 아직 텃밭이 없는
내가 또 무엇을 할 수 있을까? 열심히 생각하던 중 식재료 조달도 되
면서 제주도에 산다면 봄에 꼭 해봐야 하는 일을 알게 됐다. 바로 고
사리 꺾기다.

4월은 제주도에 고사리가 지천으로 깔리는 시기다. 한라산의 맑은 이
슬을 먹고 자라는 제주 고사리는 그 맛과 향이 독특하다. 서귀포 남원
일대에서 열리는 '한라산 청정 고사리 축제'는 2013년에 19회를 맞이

했다. 이 시기에는 남녀 할 것 없이 놀이 삼아서라도 고사리순을 꺾으러 나가 1년 먹을 고사리를 장만한다.

먹을 것이 귀했던 옛날 제주도에서는 미역밭 추수 때인 이 시기를 맞아 아이들에게 며칠간 방학을 주기도 했단다. 이 방학은 '미역 방학'인 동시에 '고사리 방학'도 되었다. 해촌 아이들은 미역 추수를 돕고 농촌 아이들은 고사리손으로 고사리를 꺾었다. 오일장에 가면 '고사리 앞치마'도 있다. 지퍼가 달린 특수 앞치마다. 고사리를 꺾는 대로 앞치마에 넣을 수 있고 꽉 채운 뒤 지퍼를 열면 한꺼번에 밑으로 확 쏟아진다.

○

어디로 고사리를 꺾으러 갈까 고민하다가 중산간 오름에 고사리가 많다는 정보를 입수하고 친구와 서둘러 나갈 채비를 하는데 엄마의 전화가 걸려왔다. 제주도 내려와 산답시고 서울에서 돈 잘 벌던 시절에 드렸던 용돈을 생략해온 딸은 엄마의 전화가 오면 일단 긴장이 된다.

"밥은 먹고 다니냐? 주말인데 쉬냐?"

"엄마, 나 지금 고사리 꺾으러 갈 거야."

"고사리? 제주도 처녀 다 됐네. 많이 따서 서울에도 좀 부쳐라."

막상 말려놓고 보면 양이 극히 적어진다는 고사리. 서울 집에 부치려면 도대체 얼마나 꺾어야 하는 걸까? "전국 최고라는 제주도 고사리, 저도 참 좋아하는데요"라면서 먹어나 봤지 한 번도 꺾어본 적 없는 두 여자. 고사리가 어떻게 생겼는지는 알아야 할 텐데, 가보면 어떻게 되겠지, 하는 생각으로 길부터 나섰다.

"다랑쉬오름에 가야 고사리가 많을 거야."

"다랑쉬오름이 얼마나 힘든지 알아? 아끈다랑쉬로 가자!"

다랑쉬오름에 가야 한다는 친구의 투덜거림을 뒤로 하고 아끈다랑쉬오름으로 방향을 잡았다. 아끈다랑쉬는 제주시 구좌읍에 있는 용눈이오름, 다랑쉬오름과 인접해 있는 오름이다. '새끼 다랑쉬'라는 뜻의 그다지 높지 않은 오름이라서 오름의 풍광은 구경하고 싶지만 '저질 체력'인 사람에게 딱 맞춤한 오름이다.

우리는 아끈다랑쉬오름 초입에서 장바구니에 뭔가 가득 담아 나오는 아주머니를 만났다.

"뭐 따신 거예요?"

"고사리 땄지. 저기 가면 많아."

"한번 보여주세요. 아, 이렇게 생겼구나. 샘플로 하나만 주시면 안 돼요?"

아주머니가 주신 고사리 샘플을 소중히 들고 아끈다랑쉬오름으로 들어섰다. 주변의 다랑쉬오름과 용눈이오름에 비해 사람의 왕래가 적어서인지 올라가는 길이 미끄러웠다.

산행을 썩 좋아하지 않는 나는 길이 좋지 않다거나 힘들면 곧잘 투덜이가 되는데 고사리가 목적이 되다 보니 눈에 불을 켜고 고사리만 찾았다. 그런데 아주머니가 많다고 했던 고사리가 어찌된 일인지 하나도 보이질 않았다.

"고사리는 대체 어디 있는 거야!"

"아까 그 아줌마가 다 따 간 게 분명해."

오름의 분화구 가까이에 이르자 억새밭이 펼쳐졌다. 정상에 오르니 주변의 오름들은 물론 우도와 성산일출봉까지 선명하게 보였다. 머릿속엔 고사리뿐이라 땅만 보고 걷는데 갑자기 실한 고사리가 눈에 들어오기 시작했다. 지천으로 깔려 있었다. 정신이 없었다.

고사리 꺾느라 굼부리 안에서 한 시간 반 정도 헤맸을까. '나 좀 데려가주시오' 하듯 귀여운 고사리손을 오므리고 있는 고사리들을 친구와 경쟁하듯 꺾다 보니 제법 큰 비닐봉지 안이 가득 찼다. 날도 덥고 배도 고파서 그만 내려가기로 했지만 내려가는 길에도 눈은 온통 고사리만 찾고 있었다.

○

고사리 꺾기가 왜 이렇게 재미있을까? 가만 생각해보니 서른이 넘도록 자연에서 직접 먹을 것을 채취하는 기쁨을 맛본 적이 별로 없다. 서울에 살 땐 해마다 해외여행을 가고 주말에는 패러글라이딩 같은 취미생활에 돈을 쓰고 다니면서 "그래, 사람은 역시 즐기면서 살아야 해!"라고 생각했다. 사람에 따라 다르겠지만 나는 나름대로 부지런히 즐기면서 살았는데도 가슴에 남는 헛헛함은 어쩔 수가 없었다. 직장에서 받는 스트레스도 해소되지 않았다.

도시에서 제주로 삶의 터전을 바꾸면서 삶의 외적인 '사이즈' 자체는 줄어든 것처럼 보이지만 예전엔 알지 못했던 기쁨들이 그 자리를 채웠다. 없이 살아도 인상 쓰지 않고 살 수 있으니 좋다. 한층 가벼운 사람이 된 느낌이다. 어쩌면 그동안 내게 맞지 않는 크고 무거운 옷을 입고 살았는지도 모를 일이다.

어부가 만선의 기쁨을 안고 집으로 돌아오듯 이만하면 고사리 좀 꺾었다는 생각으로 오름을 내려왔다. 밥을 먹기 위해 성읍민속마을로 향했다. 불고기 정식을 시켜놓고 식당 아주머니에게 물었다.

"이거 먹을 수 있는 고사리 맞죠?"

"먹을 수 있지, 그럼. 근데 얼마 동안 꺾은 거?"

"아끈다랑쉬오름에서 두 시간 동안 땄어요."

"고사리가 별로 없었나 보네. 이거 말려봐. 확 줄어서 도둑맞은 거 같지."

바로 삶아서 불린 다음에 냉동실에 넣었다가 볶아 먹거나 햇볕에 말려야 한다고 알려주시던 아주머니는 초짜인 우리가 못 미더웠는지 바로 그 자리에서 고사리를 삶아주셨다.

마침 반찬으로 고사리 무침이 나오자 반가웠다. 고사리 무침 한 접시가 달리 보였다. 일일이 꺾는 수고로움은 기본이고, 삶고 불리고 말려서 확 줄어드는 안타까움 끝에 탄생한다는 사실을 알게 되자 고사리를 남길 수가 없었다. 우리는 "고사리 무침 한 접시 더 줘서" 하곤 싹싹 비웠다.

소중히 담아온 삶은 고사리를 집 앞에 널었다. 돗자리 위에 무거운 벽돌도 몇 개 올려놓았다. 그런데 아뿔사, 다음 날 돗자리고 벽돌이고 흔적조차 없다.

"네가 제주도 바람을 우습게 봤구나. 흐흐."

털썩, 내 하루 노동의 대가가 바람과 함께 사라지다니. 처음엔 주변 지인들의 말처럼 정말 바람 때문이라고 믿었다. 그런데 의문은 남았다. 도대체 그 무거운 벽돌이 어떻게 날아갔을까? 돗자리와 벽돌이 날아갔으면 근처 어디에 있어야 하는데 어디로 간 걸까?

그러던 어느 날, 내 귀에 번쩍 들어오는 소리가 있었다.

"고사리를 훔쳐가는 사람들이 있다고요?"

"관광객들도 있고, 동네 사람도 그럴 수 있지."

차라리 모르는 게 더 나을 수도 있는 법. 씁쓸함을 감출 수 없었다.

다시 고사리 철이 돌아왔다. 고사리가 많이 있다는 오름으로 슬슬 나가봐야겠다. 그리고 고사리 무침은 어떻게 해야 맛있는지 육지에 있는 엄마에게 물어봐야겠다. 고사리 앞치마도 하나 장만할까? 심각하게 고려 중이다.

와흘리의 그녀

○

팔자에 없는 줄 알았던 밭일을 하느라 삭신이 쑤신다. 게다가 일당도
못 받고 오히려 땅 주인에게 막걸리를 사 먹이며 일했다. 밭일을 한
곳은 조천읍 와흘리. 제주시에서 동쪽으로 차로 30분 정도 가야 하는
마을이다.

와흘리는 육지에서 건너온 '이주민'들이 많이 모여 사는 곳이다. 별장
처럼 멋지게 지어진 좋은 집들이 모여 있는 이 동네 한가운데 정말 뜬
금없이 비닐하우스와 컨테이너가 있다. 이 땅 주인은 지난여름 서울
에서 건너온 서른다섯 살의 결혼 안 한 여자, 김도나 씨다. 나와 비슷
한 시기에 제주에 살러 내려온 셈인데 지난겨울 지인의 소개로 처음
만났다.

당시 그녀는 추운 날씨에 컨테이너에서 혼자 지내고 있었다. 대책 없이 제주도에 내려온 걸로 둘째가라면 서럽다고 자부하던 나도 그녀의 사는 모습을 보니 "내가 졌소"라는 말이 절로 나왔다.

○

계절이 바뀌어 봄이 왔다. 다시 만난 그녀는 컨테이너가 아닌 근처의 작은 농가 주택에 살고 있었다. 밭일할 때 쓰는 장화와 농기구들이 잔뜩 있길래 처음엔 집을 잘못 찾은 줄 알았다. 그런데 곧 여느 제주 아주머니처럼 보이는 한 여자가 농사일을 마치고 집으로 쑥 들어섰다.
"언니, 이게 웬일이야! 완전히 제주도에서 농사짓고 사는 여자네!"
이웃 마을의 무 밭에서 일을 마치고 돌아온 그녀는 직접 땅에서 거둔 얼갈이배추와 쑥으로 국을 끓여 한 상 내왔다. 그리고 오랜만에 두 여자의 '한라산 야간등반'이 시작되었다. 마을 사람이 연세 100만 원 달라는 것을 50만 원으로 흥정해서 방 두 칸에 거실이 있는 이 집을 얻었단다. 내가 1년 전에 연세 170만 원짜리 집을 얻고 기뻐했던 사실이 무색할 정도였다. 이사한 이야기를 들으니 더욱 기가 막혔다. 마을 사람들의 도움을 받으며 리어카에 살림을 실어 날랐단다. 동네 꼬마들의 손까지 합세해서.
"언니, 이렇게 혼자 밭일하며 사는 거 괜찮아요? 외롭지 않아요? 비닐하우스 있는 저 땅은 어쩌기로 했어요?"
"동네 꼬마 애들이 매일 놀러 오는데 뭐. 비닐하우스는 포장마차 차릴 거야. 살사 포장마차. 내가 살사댄스 배웠잖아. 손님들 오면 댄스 한 번씩 하지 뭐."

그녀는 고등학교를 졸업하고 쉼 없이 10년을 일했다. 회사를 그만둔다는 생각은 하지도 못했고 당연히 그렇게 살아야 하는 줄 알았다. 그러다 주5일 근무제를 하면서 휴일이 생기니 처음엔 뭘 해야 할지 막막했다. 뒤늦게 여행에 눈을 뜨면서 세상이 달라 보였다. 점점 내가 누군지, 어떻게 살아야 하는지 생각하게 됐다.

결국 직장을 그만두고 한 달 동안 유럽여행을 했다. 돌아와서 다시 취직을 했지만 마음이 다잡아지지 않았다. 휴가를 내고 제주에 내려왔던 지난봄엔 겨우 3일 동안 제주에서 올레길 두어 코스를 걷다가 '제주도에서 살아볼까' 하는 생각을 덜컥 해버렸다.

가진 돈 탈탈 털고 대출 받고 그녀를 지켜보던 친구의 도움으로 와흘리에 농지 240평을 샀다. 동네 주민들이 흉흉하다고 할 정도로 수풀과 나무가 무성한 그 땅을 보면서 그녀는 생명의 기운을 느꼈다.

친구와 둘이서 말 그대로 '삽질'을 하다가 답이 안 나오자 굴착기를 불러 밀어버렸다. 비닐하우스 옆에 300만 원 주고 컨테이너를 놓았다. 그리고 무성한 잡초를 곡괭이 하나에 의지해 모조리 캐서 씨를 뿌릴 수 있는 밭으로 일궈냈다.

○

"언니, 밭일 쉬는 날은 돈벌이가 없잖아요. 어떻게 먹고 살아요?"

"밭에 씨 뿌려놓은 거 따다 먹잖아. (웃음) 동네 사람들 밥 먹을 때 끼어서 먹을 때도 많고. 신용카드는 잘라버렸어. 근데 가끔 서울 가야해서 돈이 들긴 하네. 장애인복지센터에서 봉사한 지 10년째라 거긴계속 가거든."
"제주에 살면서 뭐가 제일 힘들어요?"
"슈퍼 가는 일? 차가 없으니까 불편하네. 멀리 나가야 하니까 장 보러갔다 오는 게 완전 미션이야."
혼자 있어도 외로운 줄 모르겠고 포장마차 차릴 구상도 해야 하고 밭일도 나가야 하고…… 할 일이 너무 많단다. '한라산 야간등반'을 마무리할 무렵, 예의도 차릴 겸해서 물었다.
"뭐 도와줄 거 없어요? 밭일 안 하나?"
"우리 밭? 내일 할 건데?"

○

술도 한잔 했으니 어차피 대평리로 돌아갈 수 없는 상황. 다음 날 아침, 흙 묻은 장화를 신고 곡괭이를 들었다. 잡초가 가득한 밭 앞에 서자 순간 아득해졌지만 015B와 전람회 등 1990년대 인기가요를 틀어놓고 곡괭이질 삼매경에 빠져들었다. 조금씩 쓸 만한 밭이 모습을 드러냈다.
점심때가 되자 밭에 털썩 주저앉아 가스버너에 배추 전을 부치고 막걸리 한잔 하니 세상 부러울 것이 없었다. 그러다 동네 주민들이 불러

서 남은 막걸리를 들고 갔더니 삼겹살 파티가 한창이었다. 고기까지 잘 얻어먹고 돌아와 밭일을 다시 시작하려는데 아까 본 마을 분들이 하나둘씩 옷을 갈아입고 곡괭이를 챙겨 밭일을 도와주러 오셨다. 이게 바로 시골 마을의 정이구나, 싶어서 마음이 따스해졌다.

번듯한 펜션들 사이에 비닐하우스와 컨테이너를 가진 그녀. 통장 잔고 10만 원이라며 내 주머니 털어 막걸리 사다 먹이게 하는 그녀지만 동네 사람들과 나눠 먹을 농작물을 심기 위해 곡괭이질을 쉬지 않는 멋진 사람이다.

○

"돈도 없고 할 줄 아는 것도 없지만 제주에서 살고 싶어요."
이런 질문 아닌 질문을 종종 받는다. 제주에서 살아간다는 게 무엇인지 들려달라는 소리다. 와흘리 그녀의 말처럼 '적당한' 불편을 감수할 수 있다면 그리 어려운 일이 아닐지도 모른다. 누군가에겐 '참지 못할' 것들일 수 있겠지만, 그것을 '적당한' 것으로 받아들일 수 있다면 말이다.

육지에서 술자리 한 번에 쓰던 돈 5만 원이 하루 밭일 노동의 대가라는 것을 받아들일 수 있다면, 적당히 절약하며 사는 것이 가능하다면, 혼자 유유자적 사는 것도 좋겠지만 마을 사람들과 나눠 먹으려고 함께 밭을 일구는 적당한 수고로움을 기쁘게 여긴다면. 여기에 남의 집 밥상에 숟가락 하나 올려놓을 배짱은 옵션이다.

가끔은 뺄셈

○

신구간(新舊間)을 결국 놓쳤다. 제주 사람들처럼 가급적 신구간에 이
사를 하려고 했지만 집을 구하지 못한 것이다. 제주에서 신구간은 대
한 후 5일에서 입춘 전 3일 사이로 보통 일주일이다. 신구간은 '신구
세관'이 교대하는 기간이고 세관(歲官)은 한 해의 인간사를 관장하는
신이다. 즉 신구간에 묵은 해의 신들이 임기를 마쳐 하늘로 올라가고
새로 부임한 신들이 지상에 내려온다.

예부터 제주에서는 이 기간에 이사를 비롯해 부엌·문·변소·외양
간·울타리·돌담 고치기, 나무 베기 등 집과 관련한 다양한 일을 해왔
다. 이 기간에 이런 일들을 하면 동티(화)를 막을 수 있다고 믿기 때문
이다.

도시화된 제주에도 신구간이 되면 이사 행렬이 줄을 잇는다. 신들이 지상을 떠나 있는 동안 쓱싹 일을 치르는 것이다. 1만 8000명에 달하는 신들이 산다는 곳, 무속신앙이 강하게 남아 있는 제주에는 이런 풍속이 여전히 존재한다.

○

집을 알아본 이유는 아르바이트 때문이었다. 원하던 일자리가 세화리 성산일출봉 쪽에 생겨서 아예 그쪽에 연세로 집을 하나 더 구할 생각이었다. 대평리에서 성산까지는 50킬로미터가 넘는다. 출퇴근을 하자니 기름값도 문제였고, 늦게 끝나는 일이라 근처에 집을 구하는 것밖에는 방법이 없었다.

내가 원하는 집의 조건은 별다르지 않다. 제주의 일반적인 돌집(농가 주택)일 것과 연세가 높지 않아야 한다는 것. 기왕이면 150만 원 전후로 말이다.

돌집을 원하는 이유는 텃밭 때문이다. 지금 대평리 집은 텃밭이 없어서 많이 아쉬웠다. 도시 사람이 제주에 내려와 산다고 했을 때 제주 전통 농가 주택인 돌집에 살아보는 것은 하나의 로망이다. 불편을 감수하고라도 꼭 한 번 해보고 싶은 일은 집 곁에 있는 텃밭에 상추와 각종 채소를 심어 가꾸고, 마당에서 고기를 구워 먹는 것. 나도 딱 그게 하고 싶었다. 민트를 심어 좋아하는 칵테일 모히토를 수시로 말아 먹겠다는 속셈까지.

○

아는 사람의 소개로 구좌읍 하도리에 빈 농가 주택이 있다기에 득달같이 달려갔다. 하도리동동. 마을 이름도 참 예쁘다. 역사가 살아 있는 구좌읍이기에 더 좋았다. 게다가 농가 주택 생활의 편리함을 결정짓는 화장실이 실내에 있다고 해서 기대는 더욱 부풀었다.

버스정류장에서 그다지 멀지 않은 마을 초입에 있는 돌집. 오래된 티가 났지만 제법 튼튼해 보였다. 집 한쪽에는 텃밭이 꽤 넓게 있었는데 살포시 쌓여 있는 흰 눈 때문에 텃밭의 파릇파릇한 싱그러움이 나를 더 유혹했다. 집 내부를 구경하고 싶었지만 문이 잠겨 있었다.

"들어가 볼 수가 없네요. 나중에 다시 와야 하나?"

"잠깐만요. 여기를 들 수 있을 것 같은데요."

일행이 조금 힘을 쓰자 당황스럽게도 문이 들렸다. 잠긴 게 아니라 그냥 얹혀 있었던 것이다. 안으로 들어가 보니 크지 않은 방이 세 칸이나 있고 오래된 집이지만 나쁘지 않았다. 그런데 아무리 찾아도 부엌과 화장실이라고 할 만한 공간이 없었다. 화장실로 추정되는 곳은 역시 바깥에 있고 그 옆으로 뭐하던 곳인지 알 수 없는, 돌로 담이 쳐진 공간이 보였다. 생각해보니 여기가 통시(뒷간)다. 꿀꿀, 도새기(돼지)가 있었겠군!

부엌살림이 있는 별채에는 커다란 가마솥이 두 개나 있었다. 봄이 오면 잠시 제주에 내려와 있겠다던 친구에게 전화를 했다. 친구도 우리가 살 집에 대한 기대에 부풀어 있던 참이었다. 방송 일을 하는 친구는 가마솥의 존재에 놀라워했다.

"이 집에 가마솥이 두 개나 있어. 사진 보낸 거 봤지?"

"아니, 섭외하기가 그렇게 힘든 가마솥이 왜 거긴 그렇게 쉽게 있는 거야!"

밥은 전기밥통이 알아서 해준다지만 화장실이 밖에 있는 불편함과 여차하면 가마솥에 물을 데워 목욕할 생각을 하니 자신이 없었다. 내가 극복할 수 있는 선을 넘어버렸으니 눈물을 머금고 파릇파릇한 텃밭을 뒤로할 수밖에 없었다.

괜찮은 돌집을 구하기는 어려웠다. 결국 당분간은 포기하고 대신 세화리에 원룸을 구해보려고 했지만 원룸 주인이 연세를 올리겠다고 선언하는 바람에 그것도 없던 일이 됐다.

○

"혹시 알아보셨다던 그 집, 어딘지 알 수 있을까요?"

제주에 내려온 뒤 이런 이메일을 종종 받는다. 제주에서 농가 주택을 소개받는 데는 인연이 끼어든다. 쓰지 않는 집을 빌려주는 경우에도 낯선 육지 사람은 소개받기가 쉽지 않다.

제주에서 집을 보러 다니다 보면 듣는 이야기가 있다. 전에 살던 사람이 이사 간다는 말도 없이 어느 날 야반도주를 했다는 것이다. 만약 육지 사람이 그랬으면 제주 토박이 집주인 할망에게 "육지 것들은 집을 빌려줘선 안 되는 종자들이야"로 인식될 것이다. 그래서 잘 모르는 사람에게 내가 소개 받은 집을 다시 소개하기는 어쩐지 불안하고 내키지 않는다.

제주에서 집을 구하려면 무턱대고 빈집부터 보러 다니지 말고 어느 지역에 살고 싶은지, 어느 마을이 낫겠는지를 먼저 생각해야 한다. 단기간이라도 좋으니 그곳에 살면서 마을 어르신들과 안면을 트는 것도 좋다. 만약 결혼을 해서 아이가 있으면 집을 소개받기가 더 쉽다. 마을 사람들은 마을에 오래 살 사람을 원한다. 언제 떠날지 알 수 없는 사람은 원치 않는다.

괜찮아 보이는 빈집을 찾는 일보다 더 중요한 것은 따로 있다. 어떤 이웃이 사는지, 마을의 인심은 어떤지를 살펴야 한다. 체력에 자신이 있다면 동네 어르신에게 부탁해 며칠 밭일이라도 나가보길 권한다. '합격점'을 받는다면 마을에 숨겨진 빈집 목록이 줄줄이 나올지 모른다(주변에 이런 사람이 실제로 있었다). 더욱이 마을 사정에 밝은 어르신들이 문제 있는 집을 알아서 걸러줄 것이다.

○

도시에서 제주로 이주하고 싶은 사람은 많지만 직접 집을 짓거나 기존의 집을 개축할 능력이 없으면 원하는 주거 환경을 이루고 살기가 쉽지 않다. 그렇다고 해서 제주 도심의 아파트나 비싼 원룸을 구한다면 뭣하러 제주도까지 내려왔나 싶을 수도 있다. 발품을 판 수고 끝에 괜찮은 조건의 농가 주택을 구한다고 해도 혼자 몸으로 연고도 없는

시골 마을에 둥지를 틀고 살기란 결코 쉽지 않다.

종종 연락하고 지내는 이주민 처자의 경우도 그랬다. 며칠 전에도 전화가 왔다.

"외롭고 힘들어서 육지로 돌아가고 싶어. 일단 서귀포로 이사 가고 싶은데 혼자라서 무서워."

"너무 성급하게 결론짓지 마. 조만간 만나자. 같이 재미있는 일을 찾아보자."

아주 친한 사이가 아니어도 이야기를 들어주고 내 일처럼 같이 방법을 찾아보자고 말하는 이유는 동병상련의 마음 때문이고, 전우를 하나 잃는 것 같은 기분이기 때문이다.

제주에 와서 좌충우돌 살아가는 낯모르는 사람들이 하루에도 몇 통씩 이메일을 보낸다. "힘들다." "외롭다." "우리 만나서 얘기라도 하자."

반면 육지에 사는 사람들은 애타게 꿈을 꾼다. "나도 너처럼 제주에서 살고 싶어."

○

박민규 단편소설집 《카스테라》에 실린 '그렇습니까? 기린입니다'에는 "인간에겐 누구나 자신만의 산수가 있다. 그리고 언젠가는 그것을 발견하게 마련이다"라는 주인공의 독백이 있다. "인생에서 무엇을 더하고 뺄 것인가의 문제, 그걸 말하는 게 아닐까?"라고 언젠가 사랑하던 사람이 내게 이 소설을 읽어주면서 말했던 기억이 난다.

이번에 집을 구하러 다니면서 이 말을 떠올렸다. 나는 내 인생에 텃밭을 가꿀 수 있는 집을 더하고 싶었지만 가마솥과 밖에 있는 화장실까진 더하고 싶지 않았기에 당분간 텃밭을 가꾸는 삶을 포기하는 산수를 했다.

모두들 저마다 인생 산수를 하며 살 것이다. 나는 제주에서의 좋은 환경과 마음의 여유를 더하기 위해 도시에서의 안정된 직장과 수입, 편리한 생활을 뺐다. 물론 어느 것이 덧셈이고 어느 것이 뺄셈이 되는지는 지극히 개인의 선택이다.

그렇다 보니 제주에 살러 오겠다고 고민하는 사람들에게 내가 특별히 들려줄 말이 뭐가 있겠나. 각자 자기 인생의 산수를 하는 것 아니겠는가. 나와 같은 산수를 해서 제주도에 내려온다 해도 모든 것이 덧셈이 되지는 않는다. 1년 살 집 한 칸 구하는 일도 쉽지 않고 외로움 같은 지독한 복병이 늘 도사리고 있으니 말이다.

신구간이 지나 이사할 시기를 놓치긴 했지만 그래도 집 구하기를 포기하지는 말아야겠다. '가마솥과 밖에 있는 화장실'이라는 마이너스를 더 큰 덧셈으로 만들어보고 싶은 꿈이 생겼다. 제주가 좋아 내려온 사람들이 조금 덜 외로워질 수 있는 공간, 지역 사회에도 도움이 되고 재미있는 일을 도모할 수 있는 공간을 만든다면 가능하지 않을까? 그러면 텃밭은 덤이 되겠지. 쉽지 않은 일이겠지만 말이다.

같이 살아볼래요?

○

"참, 별일이 다 생기네."

제주시와 서귀포를 잇는 평화로를 달리면서 '사람 사는 곳은 어디든 다 똑같다'며 서러운 마음을 가라앉히던 중이었다. 한데 자동차에 치여 죽었는지 길가에 누워 있는 고양이의 처연한 눈을 본 순간, 참았던 울음이 왈칵 터져 나왔다.

제주도에 내려온 지 1년이 되고 연세로 빌린 대평리 집도 만기가 다가와서 이사 갈 집을 부지런히 알아보던 때였다. 곧 시작될 장마와 무시무시한 태풍을 생각하면 마음은 급한데 좀처럼 옮길 만한 집이 나타나지 않아 초조해지고 있었다. 그러다 마침 크고 좋은 빈집이 있다고 해서 찾아갔는데 이상한 집주인을 만나 봉변을 당할 뻔하고 나오는 길이었다.

내 한 몸 편히 쉴 방 한 칸 구하는 일이라면 조금 수월했을지 모른다. 하지만 이번에는 방이 여러 개 있는 집을 구해야 했다. 별일 다 겪어 가면서 힘들게 사는 데는 나름의 이유가 있었다.

○

제주도는 끊임없이 육지의 인구가 유입되는 곳이다. 관광객뿐 아니라 살기 위해 내려오는 사람들이 급격히 늘고 있다. 제주도에서 태어나고 교육받은 젊은이들은 섬이 답답하다며 육지로 나가지만 오히려 육지에서는 은퇴 후 전원생활을 위해 내려오는 사람들뿐만 아니라 다양한 이력을 가진 젊은이들이 제주로 오고 있다. 좋아서 내려왔지만 일자리 부족, 외로움, 기대했던 것과 많이 다른 현실 앞에 결국 다시 육지 행을 택하는 사람들도 적지 않다.

제주도에 살러 내려오겠다고 결심한 뒤 가장 먼저 부딪히는 문제는 집을 구하는 일이다. 돈 많은 육지 사람들이 제주도의 빈집들을 많이 사버린 데다 남아 있는 빈집들도 대부분 폐가다. 그러니 제주도에 아는 사람이 있지 않으면 연세로 내놓는 집이 어디 있는지 알기가 쉽지 않다. 운 좋게 집을 구한다고 해도 육지와는 여러 가지로 다른 제주도의 생활에 지쳐 다시 돌아갈 수도 있다. 결국 몇 달이 되었든 우선 살아보고 스스로 판단을 내리는 것이 가장 좋다는 결론에 다다른다. 그럼 어디서 살아보냐고?

"나하고 삽시다!"

○

제주에 내려온 지 1년 만에 중대 결심을 했다. 제주도가 좋아서 살고 싶은 사람들이 모여 정착에 대해 고민하고, 재미있고 의미 있는 일을 같이 도모하는 공간을 만들자! 일명 셰어하우스. 방 한 칸씩 빌려줄 테니 몇 달이 되었든 살아보면서 판단할 기회를 가져보라는 뜻이다 (물론 공짜는 아니다).

취지에 공감해 나와 같이 살아보겠다는 사람들이 오면 몇 가지 조건을 제시한다. 우선 "이런 나라도 괜찮겠니?"다. 나는 길치인데다 잘할 줄 아는 음식도 별로 없고 고사리가 어떻게 생겼는지도 얼마 전에 알게 된 차가운 도시 여자다. 제주민속오일장에서 업어온, 사람을 물어 뜯는 새끼 고양이마저 키우고 있다. 그러니 "이런 나라도 괜찮겠니?"를 꼭 물어본다.

그다음은 "이런 우리 집이라도 괜찮겠니?"를 묻는다. 직접 겪어본 무시무시한 태풍이 매년 제주도를 덮치는 것을 고려해서 해안가가 아닌 중산간 마을 한경면 저지리에 집을 구했다(물론 엄청난 태풍이 오면 중산간 마을도 별 수 없긴 하다). 저지오름과 곶자왈, 오설록이 가까이 있는 곳이다.

집은 작지만 방이 네다섯 칸 나온다. 집 뒤편엔 귤나무들이 있는 작은 밭이 있어서 텃밭 가꾸는 재미를 느낄 수 있고 삼겹살 파티를 할 수 있는 마당도 있다. 하지만 화장실이 밖에 있고, 살림집으로 쓰던 공간이 아니라서 좀 더 나은 주거환경을 원한다면 '노가다'를 해야 할 가능성도 있다.

벌레와 함께 상생해야 하는 마을의 농가 주택에 너무 많은 기대와 환상을 품지 않았으면 좋겠다. 그리고 가장 중요한 것! 해군기지 공사가 강행되고 있는 서귀포 강정마을에 이런 글귀가 있다.

조상 대대로 제주에 살았다고 하더라도 제주의 자연을 그의 돈벌이로만 여기는 사람은 육지 것이며, 비록 어제부터 제주에서 살게 되었다고 하더라도 제주를 그의 생명처럼 아낀다면 그는 제주인이다.

이 말에 공감할 수 있는 사람이면 좋겠다. 제주도와 제주도 사람들을 이해하고 배우려는 사람, 육지와 비교해 무엇이 부족하고 불편하다는 불만을 늘어놓지 않을 사람, 육지 것이 아니라 제주인이 되고 싶은 사람을 찾는다. 어디 계십니까?

셰어하우스 '오월이네 집'

육지 사람들의 '제주 이민' 연착륙을 돕는 셰어하우스를 만들기 위해 새로 임대한 제주시 한경면 저지리의 농가 주택. 주변 사람들에게 "너무 기대하지는 말라"고 포석을 깔았지만 낯선 사람들이 함께 살 집을 꾸미려면 내부 공사는 필수였다. 무엇보다 식당으로 쓰던 곳이라 마땅한 방이 없는 게 가장 큰 문제였다. 개인 공간을 만들기 위해 벽을 만들고 문을 달고 가구를 짜 넣기로 했다.

집을 번듯하게 꾸밀 돈이 넉넉지 않은 내가 할 수 있는 일이란 몸으로 때우는 방법뿐이다. 하지만 목수는 대체 불가능한 인력이었고 인건비 부담이 만만치 않게 다가왔다. 그러던 중 대평리의 게스트하우스에 묵으면서 알게 된 언니가 마침 제주도에 놀러 온다는 소식에 귀가 번쩍 뜨였다. 그녀는 목수였다.

"잘 지내셨죠? 제주도 놀러 오신다면서요? 언니, 근데 혹시 벽 만들 줄 알아요?"

"만들 줄은 아는데, 왜? 무슨 일 있어?"

전화기 너머로 느껴지는 그녀의 떨림을 모른 척했다. 취지를 설명하고 집을 수리할 예정이니 며칠만 공사를 도와달라고 부탁했다. 나는 정말 이삼일이면 공사가 끝날 줄 알았다.

○

무선드릴, 원형 톱, 직소기, 타커, 컴프레서…… 살아오면서 거의 본 적 없는 공구들을 구하기 위해 곳곳을 수소문했다. 서울의 지인들이 휴가를 내고 '손에 손에' 공구를 든 채 제주도행 비행기를 탔다. 원래 잘 빌려주지 않는 법이라는 공구를 제주도 지인들도 기꺼이 내줬다. 본인은 쓰지 않지만 우리 집에는 요긴한 물품들을 바리바리 싸주기도 했다.

공사에 필요한 물건을 사기 위해 차로 30분을 달려 모슬포의 철물점에 다녀온 날. 모슬포 바닷가에 슬쩍 차를 세우고, 공사를 도와주러 온 서울 친구들을 바닷가에 풀어놨다.

"집 앞에 다들 이런 바다 하나씩 없나? (웃음)"

"서울 우리 집 앞에 철물점은 있다!"

공사는 결국 보름이 넘게 걸려서야 끝이 났다. 겨우 두 번 본 사이일 뿐인 목수 언니는 셰어하우스의 취지가 좋다며 끝내 인건비를 받지 않았다. 오히려 자기 주머니를 털어서 부족한 자재를 마련했다. 뚝딱 뚝딱 벽을 세우고 문을 달고 책장·테이블·서랍장을 만들었다. 언니는 공사 내내 '능력자'로 인정받았고, '슈퍼 갑'으로 모셔졌다. 여행 왔다가 나한테 잘못 붙들려 보름을 꼬박 일만 하고 간 그녀는 "이제 제주도는 10년 후에나 오겠다"는 말을 남기고 돌아갔다(그리고 정말 다시 오지 않았다).

목수 언니와 나의 지인들은 처음엔 서먹서먹했지만 공사를 하면서 전우애로 똘똘 뭉쳤다. "사장님, 나빠요. 여권 돌려주세요"를 장난스럽게 외치며 밤마다 서로의 아픈 몸을 밟아주는 사이가 됐다.

시간이 맞지 않아 공사를 도와주지 못한 서울 친구들이 하나둘씩 내려와 끝도 없는 대청소를 맡아줄 때도 눈물 나게 고마웠다. 그때쯤 체력이 고갈된 나는 친구들이 청소를 잘하나 감시하며 시름시름 앓듯 낮잠을 자곤 했다.

많은 사람들의 도움과 고생으로 완성한 셰어하우스. 키우고 있던 고양이 오월이의 이름을 따서 '오월이네 집'이 되었다.

막무가내로 찾아온 '조남희'들

2주간의 막노동 끝에 얼추 집 꼴이 갖춰진 후 '오월이네 집' 셰어하우스 입주 문의는 남녀 불문하고, 한마디로 '쇄도'했다. 처음에는 남자와 여자를 가리지 않으려고 했지만 아무리 생각해도 조심스러웠다. 젊은 입주자들 간에 연애 감정이 일어나면 누군가는 상처 받고 또 매일 한라산소주와 함께 나를 붙들고 징징 울어댈 게 분명했다. 그러면 마을에서도 이 요상한 집을 두고 부정적인 여론이 들끓을 가능성이 높았다. 고민 끝에 여성 입주자만 받기로 했다.

공사 기간 중에도 집으로 아가씨들이 찾아왔다. "제주도에서 한번 같이 살아보시렵니까?"라는 나의 제안에 솔깃한 20대 후반에서 30대 중반의 여자들이었다.

〈오마이뉴스〉에 실린 내 기사를 읽었다면 나를 감성적이고 친절한 여자, 또는 '도시물 아직 덜 빠진 언니'로 생각하고 왔을 텐데(내 착각일까?) 무더위에 '육수'가 줄줄 흐르고 작업용 몸뻬를 입고 있는 아저씨 같은 털털한 모습에 그녀들이 흠칫 당황하는 게 느껴졌다.

"언제까지 있을 생각이에요? 제주도에서 뭐하고 싶어요? 할 줄 아는 건 뭐예요? 혹시 공구 잘 다뤄요? 이 집은 화장실도 밖에 있고 버스도 별로 없는데 괜찮겠어요?"

쏟아지는 질문 공세에도 아가씨들은 꿋꿋했다. 한결같이 "무계획이 계획"이라고 답했다. 제주도에 살러 온 여자들 아니랄까 봐 그녀들은 나를 놀라게 할 정도로 무대뽀(막무가내), 무작정, 무리함의 '삼무'〔제주도는 흔히 돌·바람·여자가 많은 삼다(三多), 도둑·대문·거지가 없는 삼무(三無)의 섬이라 한다〕를 갖추고 있었다.

제주도가 그저 좋아서 살아보고 싶다는 그녀들을 앉혀 놓고 나는 일장 연설을 했다. 익명성이 거의 없는 지역 사회의 삶이 때로는 불편하다는 것, 일자리가 많지 않고 대도시에 비해 급여 수준이 좋지 않다는 것, 여자 혼자 내려왔다고 하면 괜히 들이대는 남자들이 있다는 것, 생활의 여러 불편함, 가끔씩 찾아오는 짙은 외로움까지.

한참을 듣고 있던 그녀들의 반응은 강 건너 불구경이다.

"아…… 그래요?"

말하는 사람만 입 아프고 허무할 뿐이다. 직접 겪어보지 않으면 알 수 없는 일들이니 어쩌겠는가. 어려움도 있고 불편함도 있다고 아무리 말해도 그녀들의 제주행을 막을 수 없다는 걸 안다. 나도 1년 전에 이 사람들과 비슷한 얼굴을 하고 대책 없이 육지에서 내려온 사람이었으니까.

○

'오월이네 집'을 술집으로 만들어 같이 장사를 해보자는 당황스러운 제안을 받기도 했다. 모슬포 오일장에서 샀을 꽃무늬 몸뻬를 선물로 들고 온 그녀를 미안하지만 돌려보낼 수밖에 없었다.

마을 어르신들에게 봉사하면서 재미있게 지내보자고 의기투합한 사람도 있었다. 한데 막상 공사가 한창인 셰어하우스에서 여러 사람들이 땀을 뻘뻘 흘리는 걸 보면서도 빗자루 한번 들지 않기에 안 되겠다 싶어 거절한 적도 있다.

심하게 우울해 보이는 사람도 찾아왔다. 내가 저 우울을 감당할 수 있을까 싶었지만 진심으로 고민을 함께하며 제주살이에 대해 열심히 설명을 했다. 제대로 듣는 것 같지 않더니 다시 연락이 없었다. 지금 제주 어딘가에 있다면 잘 살고 있기를 바랄 뿐이다.

인연이 있으면 만나게 되어 있다. 예술을 하고, 아가씨 같아 보이지만 육지에 남편이 있는, 스물아홉 살 먹은 이에게 같이 살자고 손을 내밀었다. 그녀의 이름은 유라. '오월이네 집' 여자 1호가 되었다.

시골 마을에 산다는 것

○

"언니, 요강을 사야겠어요."

"언니, 여기 집게벌레 있어요."

낯선 이와 시작한 동거. 그녀는 시작부터 내 가슴을 후비는 말들을 쏟아냈다. "처음엔 나도 요강이 필요하다고 생각했는데 조금 지나니까 익숙해져"라든지 "나도 벌레가 너무 무서워. 그러니까 나한테 잡아달라고 하지 말아줘" 같은 말은 입 속에서만 맴돌다가 차마 나오지 못했다. 제주에 먼저 내려온 선배이자 집주인으로서의 체면 때문이었다. 결국 며칠 안 가 다 버려야 했지만.

셰어하우스로 변신한 우리 집은 제주도가 좋아서 살아보고 싶지만 집 지을 돈은 없는 사람들, 제주에 정착하고 싶지만 연고가 없어 혼자서는 어떻게 해야 할지 모르는 사람들이 함께 살 수 있도록 마련한 공간이다. 머무는 동안 정착하는 길을 모색하면서 제주도를 알아가고 적응하는 집이다.

○

농가 주택을 임대해 몇 주에 걸쳐 공사를 마치고 방 네 칸짜리 집이 완성됐을 무렵, 여자 1호 유라가 들어왔다. 그녀를 기다린 것은 언제든 집을 나서면 만날 수 있는 제주의 막힘없는 파란 하늘과 푸른 바다만은 아니었다. 오래된 농가 주택이라 화장실이 집 밖에 있는 불편함, 집 뒤편 밭에서 날아드는 온갖 벌레들, 버스가 많지 않고 일찍 끊겨서 외출할 때마다 신경을 더 써야 하는 일 등등.
이 모든 것은 도시에서는 겪어보지 않은 생경한 불편함이다. 그녀보다 이 집에서 며칠 먼저 살아본 나 역시 모든 불편함에 다 익숙해진 것은 아니었다. 먼저 살았던 대평리의 신축 건물과는 또 달랐다.
다른 것은 불편해도 참겠는데 벌레만큼은 나를 깊은 고민에 빠뜨렸다. 지네, 파리, 모기, 집게벌레, 나방, 거미, 그리고 이름을 알 수 없는 수많은 벌레들이 밤만 되면 종합 선물세트로 들어와 우리를 괴롭혔다. 벌레를 잡지 않을까 내심 기대했던 고양이 오월이는 도움이 되지 않았고, 가끔씩 손바닥 반절만 한 거미를 발견할 때마다 두 여자의 비명이 저지리의 밤공기를 가르곤 했다.

참다못해 방역 서비스를 받기로 결단을 내리려던 찰나에 우습게도 엉뚱한 곳에서 해답을 얻었다. 밭일 할 일손이 필요하다는 지인의 연락을 받고 출동한 날이었다. 삼채 밭에서 낫으로 삼채를 베고 검질(논밭에 난 잡풀)을 매는데 여기도 밭이다 보니 다양한 벌레들과 눈을 맞춰야 했다. 벌레가 무섭다고 밭일을 멈출 수도 없는 노릇이니 벌레가 보여도 묵묵히 낫질을 계속했다. 게다가 밤늦게까지 이어진 짐들이로 잠을 못 잤더니 졸려서 미칠 지경이었다. 결국 그대로 그늘을 찾아 쓰러져 잠이 들었다.

"그래, 그냥 이렇게 벌레랑 같이 사는 거구나. 시간이 흐르고 익숙해지면 되는 거였어."

나와 동거를 시작한 그녀도 마찬가지였다. 적응하기 나름이란 걸 터득한 듯했다. 마침 제주도에 마른장마가 이어져 벌레가 한결 줄어들기도 했지만 제주살이 보름 만에 전기 파리채로 말없이 집 안의 모든 벌레를 해결하는 능력자가 된 그녀를 보고 있으면 마음이 든든하다. 이제는 내가 외친다.

"유라야, 여기 벌레!"

그녀가 적응한 건 벌레만이 아니었다. 혼자 나갈 일이 있을 때 버스 시간이 맞지 않으면 엄지손가락을 번쩍 들어 히치하이크(지나가는 자동차를 얻어 타는 일)를 시도한다.

저지리에 셰어하우스를 만들면서, 육지에서 온 젊은 사람들이 모여 사는 것을 이웃집 어르신들이 어떻게 생각하실지 또 우리 집에 함께 살 사람들이 어르신들과 잘 지낼 수 있을지 걱정이 많았다. 장사가 워낙 잘되던 곳이라 공사 기간 내내 주민들의 이목이 쏠리기도 했다. "여기 무슨 장사할 거예요?"라는 질문이 매일 쏟아졌고 "그냥 이 마을에 살러 왔어요"라고 해도 믿지 않는 눈치였다.

시간이 흐르면서 이젠 어르신들과 제법 가까워졌다. 밭일을 하고 얻어온 삼채를 다듬어 이웃집에 놀러 가면 달달한 냉커피를 내주신다. 그리고 60년을 이 마을에서 사신 어르신의 '리얼 마을 스토리'가 이어진다. 어느 집 인심이 사나운지, 어느 집 며느리가 시어머니 구박을 견디다 못해 집을 나갔는지, 어느 집 아들이 아직 장가를 못 갔는지부터 브로콜리 농사를 지었다가 가격이 맞지 않아 죄다 내다 버려야 했던 속상한 이야기까지. "다음엔 한라산소주 몇 병 들고 올게요" 하고 일어서는데 할아버지가 미소를 감추지 못하신다.

어느 날은 집 앞에 커다란 호박 두 덩이가 놓여 있길래 "이게 웬 굴러 들어온 호박이냐" 했더니 옆집 할머니가 놓고 가셨단다. 유라가 옆집 할머니에게 가져다 드린 수박에 대한 답례였다. 우리는 아주 천천히 시골 마을에 산다는 것에 익숙해지고 있었다.

따뜻했던 너의 온기

○

마당에 나가 보니 흙 묻은 삽과 곡괭이가 있다. 유라가 이웃집에서 빌려 왔단다. 그 옆에는 분홍색 보자기로 싼 상자가 있다. 우리는 오늘 이 상자를 묻으러 어딘가로 가야 한다. 상자 안에는 이제 반년 된 어린 고양이 한 마리가 누워 있다. 지난 밤 자정 넘어 겨우 찾은 녀석, 오월이다. 셰어하우스의 이름인 '오월이네 집'의 주인공 말이다.

5월의 어느 날, 제주민속오일장에서 오월이를 처음 만났다. 대평리에서 혼자 지내면서 집 안에 생명체가 있으면 좋겠다는 생각은 했지만 반려동물을 들이는 일은 신중하게 결정해야 함을 잘 알기에 고민에 고민을 거듭하던 때였다.

유기동물보호소로 가려다가 오일장으로 향한 이유는 철창 안에 전시

되듯 갇혀 있던 개와 고양이 들의 얼굴이 떠올랐기 때문이다. 탕거리
가 되기 전에 데려오자는 마음이었다.

그날 귀엽게 생긴 오월이를 데려가려는 사람은 나뿐이 아니었다. 발
을 동동 구르며 남편에게 허락을 구하고 있던 한 여자와 나는 눈치작
전을 벌이듯 서로를 곁눈질했다. 물론 다른 누구의 의견을 구할 필요
가 없는 나의 승리였다.

고양이를 파는 아주머니는 함께 갇혀 있는 형제로부터 떨어지지 않
으려는 녀석을 꺼내 목에 줄을 묶고 신발 상자에 담아서 내게 건넸
다. 3만 원, 그것이 녀석을 데려온 값이었다. 오월에 만났기에 오월이
라고 이름을 지었다.

암컷인 줄 알고 오월이라고 불렀는데 수의사가 살펴보더니 수컷이란
다. 잠시 고민에 빠졌지만 그냥 부르기로 했다. 시간이 갈수록 녀석은
자기 이름을 알아들었고 기특하게도 "오월아" 부르면 "에옹" 하며 다
가왔다. 육지 것인 나는 제주도에서 태어난 녀석에게 "넌 제주도가 고
향이구나. 왠지 부럽다"며 말을 걸기도 했다.

○

솜털같이 가벼운 녀석은 사교성이 좋아서 사람을 무척 따랐고 내가
누워 있으면 목과 가슴, 배 위로 올라탔다. 따뜻했다.

문제는 똥이었다. 고양이는 아무리 어려도 상자에 모래를 깔아주면
본능적으로 볼일을 해결한다는데 오월이는 뭐가 불만인지 거의 매일

이불에 실수를 했다. 냄새가 나서 눈을 뜨면 어김없이 똥이 굴러다녔다. 나중에는 덮고 잘 이불이 없어 맨바닥에 둘이 웅크리고 자기도 했다. 똥오줌 못 가리고 밤마다 물어뜯어도 나는 오월이와 함께 있어 좋았다. 텅 빈 것 같던 집은 새끼 고양이 한 마리의 체온으로 마음 붙일 곳이 되었다.

셰어하우스 공사를 마치자마자 오월이를 대평리에서 데려왔다. 대평리의 단칸방에 있다가 마당과 텃밭이 있고 방이 네 개인 넓은 집으로 데려오자 오월이는 신이 났다. 누구 좋으라고 이사 온 집인지 헷갈릴 정도로 잘 뛰어놀았다. 특히 마당에서 뒹굴뒹굴 굴러다니기를 좋아했다. 환경이 바뀌어 그런지 다시 밤마다 이불에 실례를 해서 잠시 사월이로 강등되기도 했지만 어디까지나 우리 집은 '오월이네 집'이었다.

○

오월이가 보이지 않던 그날 밤, 나와 유라, 이웃집 카페 부부까지 네 사람은 랜턴을 들고 도로와 마을 구석구석을 뛰어다녔다. 미친 듯이 오월이의 이름을 불렀다. 밤 9시만 지나도 집집마다 불이 꺼지고 어둠과 적막만 남는 제주도의 시골 마을인데 자정이 다 되어 고양이를 찾아다니는 소리가 나자 몇몇 이웃집에는 다시 불이 켜졌다.

밤늦게 소란스럽게 해서 죄송하다며 인사를 드리러 간 유라는 할아버지와 대화를 하다 말고 울음을 터뜨렸다. 그리고 이내 허물어졌다. 할아버지는 자루 하나를 들고 나오셨고 먼발치에서 보고 있던 나 역시

그 자리에서 일어나지 못했다. 어린 고양이 오월이는 그렇게 싸늘한 몸으로 돌아왔다.

"새벽에 고양이 한 마리가 집 앞에 눈 뜨고 코에서 피를 흘리며 죽어 있더라고. 오늘 집에 제사가 있는 날인데 제사도 못 지냈네."

할아버지는 넋이 나가 어쩌지도 못하고 망연자실해 있는 우리를 보시 더니 오월이를 자루에서 꺼내 상자로 옮겨 주셨다. 오월이가 맞는지 확인해야 했지만 그 모습을 보면 평생 잊을 수가 없을 것 같았다. 녀 석의 마지막 모습을 그렇게 기억하고 싶지 않았다.

나는 비겁하게도 유라에게 그 일을 떠넘기고 말았다. 혼자 이런 일을 당했다면 벌벌 떨며 울기만 했을 텐데 누군가 옆에 있다는 것만으로 큰 힘이 되었다. 전혀 모르던 사람들이 만나 어느새 서로에게 의지하 고 있었다.

오월이가 어떻게 죽었는지는 모른다. 새벽에 일 나가는 이웃집 트럭 에 치였는지, 뭔가를 잘못 먹고 죽었는지. 울기만 하는 나 대신 유라 가 동물병원에 전화를 했다. 육지에 있는 반려동물 화장터가 제주엔 없다. 수의사가 하는 말이 적당히 묻어주는 수밖에 없단다.

다음 날 오월이를 함께 찾느라 애썼던 이웃집 카페 부부가 차를 가지 고 왔다. 트렁크에 삽과 곡괭이를 실었다. 오월이가 누워 있는 상자를 들자 이 녀석이 이렇게 무거웠나 싶다. 데려올 땐 솜털같이 가볍던 녀석이었는데. 우리는 모두 말없이 저지오름으로 향했다. 오름 입구에 구덩이를 파고 오월이를 묻었다. 작별의 시간이었다.

온 집 안을 뛰어다니던 녀석이 사라지니 허전해서 견딜 수가 없었다. '오월이네 집'에 오월이가 없으니 더 그랬다. 오월이가 떠나고 난 뒤 텃밭에 심은 상추와 대파에 물을 더 정성들여 주곤 했다. 정을 줄 곳이 필요해서였을까. 오일장 철창 안에 떼놓고 왔던 녀석의 형제는 어디에 있을까, 문득 궁금해졌다.

○

오월이를 보내고 난 후 새 식구를 맞아들였다. 우선 노랑둥이 구월이. 가시리의 게스트하우스에 사는 어미 고양이에게서 태어났다. 마당에서 자유롭게 뛰어놀다가 배고프면 알아서 기어들어 오는 시골의 똘똘한 고양이로 키우고 싶었지만 오월이 일을 겪고 나서 절대 밖으로 내보내지 말아야겠다고 결심했다.

구월이는 오월이보다 까칠하고 힘이 넘쳐서 내 손과 발을 사정없이 물어뜯고 할퀴는 통에 상처도 많이 났다. 그리고 녀석은 얄밉게도 나보다 우리 집 동거인들을 더 좋아한다. 내가 혼자 있을 때만 옆에 와서 잠이 들고 다른 사람들이 있을 땐 절대 내 방에서 자지 않는다.

두 번째 식구는 똥개 생강이. 마당에서 집을 지킬 개가 필요했던 나는 이웃집 카페에서 키우는 어미 개의 새끼 다섯 마리 중 셋째를 데려왔다. 제주도 말로 강아지가 강생이니까 뒤집어서 생강!

몸집은 크지만 아직 새끼인 생강이는 태어나서 처음 목욕을 한 뒤 피곤했는지 이불 위에 뻗어 잠이 들었다. 개라는 동물을 처음 본 구월이의 표정은 참으로 묘했다.

"머 이런 기 다 있노!"

오월이가 떠난 '오월이네 집'은 구월이와 생강이의 활기로 채워지고 있었다.

푸른 섬 길 위에 삶은 이어지고

'잔치 먹으러 간다'

육지에서는 '결혼식에 간다'고 하는데, 제주에서는 '잔치 먹으러 간다'고 한다.
결혼식과 별도로 마을회관 등에서 성대하게 잔치를 치르는 풍습도 있다.
제사 있는 집에 갈 때도 '제사 먹으러 간다'고 한다. 먹고사는 일이 가장 중요해서 그런 걸까?

집들이에도 부조금과 답례품

제주에서는 경조사가 무척 중요하다.
부조금과 답례품이 함께 오간다.
집들이도 마찬가지다.
손님들은 봉투를 건네고,
집주인은 작더라도 답례품을 선물한다.
휴지나 세제 같은 간단한 선물을 준비하긴 하지만
대부분 거하게 한 상 대접받고 오는
서울의 집들이와는 다른 풍경.

'양'

제주에서는 누가 '양'이라고 부른다고 해서 화내지 말자.
누군가를 부르기 애매할 때 쓰는 말이다.
'야'라고 들리겠지만 '양'이다.
반말이 아니며 그저 당신을 부르고 있을 뿐이다.

'삼춘'

진짜 삼촌만을 이르는 말이 아니다. 제주에서는 남녀 할 것 없이
친척 삼촌에게도 '삼춘', 이웃집 할머니도 '삼춘', 할아버지도 '삼춘',
모두 다 삼춘이라고 부르면 된다. 정겹고도 간단한 애칭.

'낭푼밥상'

제주에서는 큰 낭푼(양푼)에 밥을 가득 푸고,
국만 식구 수대로 떠서 함께 먹는 낭푼밥상을 차려왔다.
반찬은 텃밭 채소, 어류, 젓갈류 정도로 간단하다.
밥은 '곤밥'(고운 흰쌀밥)이 아니라 척박한 땅에서 거둔 잡곡밥이다.
어멍의 수고를 덜고 배고픔을 덜기 위해서지만
몸에도 참 좋은 건강 밥상.

대문이 무너진 날

△

"고생했다. 어미와 놀아도 주고 복 받을 겨."

제주도 집에서 3박 4일을 보내고 서울로 돌아간 엄마가 문자를 보냈다. 정말 복 받을 일을 한 걸까? 오죽하면 엄마가 이런 말을 할까? 나는 못된 딸이었다. 나이 서른넷에 엄마와의 첫 여행. 그것도 내가 사는 제주도 집에서 말이다.

하나뿐인 딸은 철딱서니 없게도 어느 날 고연봉의 직장을 차 버리고 제주도로 훌쩍 떠났다. 혼자 씩씩하게 살아보겠다더니 명절이나 돼야 얼굴을 비친 지 어느새 1년이다. 얼마 전부터는 집을 빌려 공사를 하더니 생판 모르는 아가씨들과 함께 산다고 한다. 이런 이상한 딸내미를 '사찰'하기 위해 서울 사는 엄마가 제주에 떴다.

"이번 추석 연휴에 서울로 올라왔다가 엄마랑 같이 내려가자."

드디어 올 것이 왔다. 그동안 내가 원하는 곳에서 소박하게 살고 싶다고, 그것이 나에게 가장 어울리고 좋은 일이라고 설득해왔고, 부모님도 어쩔 수 없이 인정, 아니 포기를 하신 듯했다. 하지만 정작 내가 사는 모습, 내가 사는 집을 엄마가 직접 와서 본다고 생각하니 긴장이 됐다.

제주도, 그것도 중산간 농촌마을 깊숙한 곳, 게다가 좋은 주택도 아닌 작고 오래된 농가 주택을 공사해서 육지 여자들이 부대끼며 사는 셰어하우스를 보고 뭐라고 하실까? 나는 짐작도 하기 어려웠다.

말도 별로 없고 살가운 애교는 손톱만큼도 찾아볼 수 없는 내 성격에다 서울에선 직장 생활하느라 바쁘다는 이유로 엄마를 아침에나 한번씩 보는 하숙집 아주머니로 만들고 살아왔으니 엄마와 3박 4일을 꼬박 뭐하면서 지낼지도 걱정이었다.

△

추석 연휴를 맞아 여자 1호 유라는 육지에 있는 시댁에 갔고 얼마 전 셰어하우스에 입주한 여자 2호도 서울로 가고 없었다. 추석 연휴를 잘 보내고 드디어 엄마와 함께 제주도에 도착했는데 가까이 지내는 이웃에게서 연락이 왔다.

"남희야, 지나다 보니 너희 집 대문 무너졌더라."

원래 대문이 없던 우리 집에 유라의 남편이 와서 남아 있는 자재들로

임시 문을 만들어줬는데 며칠 사이에 무게를 견디지 못했는지 무너진
것이다. 그 말을 듣는 순간 내 억장도 무너졌다. 엄마가 우리 집을 처
음 보러 오는 날인데…….

"엄마, 잠깐만 차에서 기다려!"

무너진 대문을 급히 수습하고 나서 아무 일 없다는 듯 집 안으로 엄마
를 안내했다. 엄마에게 마침 비어 있던 여자 2호의 방을 내드렸다.

"엄마, 우리 집 어때?"

"귀뚜라미 소리가 다 들리고…… 시골은 시골이구나. 공사하느라 고
생했겠다. 너도 참 대단하다. 어떻게 이런 걸 할 생각을 다 했니?"

엄마의 잠자리가 불편하진 않을까, 어떤 마음으로 누워 계실까, 생각
하니 나 역시 쉽게 잠이 오지 않았다. 잠들지 못하기는 엄마도 마찬가
지였다. 간간이 들려오는 한숨 소리와 뒤척이는 소리 그리고 한참 만
에 고롱고롱 코 고는 소리가 들렸다. 불을 끄자 반딧불이가 방 안에
들어왔는지 조그만 불빛이 조용히 날아다녔다.

이튿날 아침 냉장고를 털어 온갖 반찬을 만들고 김치찌개를 끓여 상
을 봐 드렸다. 그러고 보니 내가 엄마한테 제대로 차려드리는 첫 식사
다. 유라도 돌아와서 함께했다.

"내가 한 찌개 어때? 맛있지?"

"엄마가 한 김치가 맛있어서 그런 거여."

유라가 옆에서 킥킥 웃었다.

△

관광지만 찍고 돌아다니는 여행이 아닌, 제주도의 역사와 문화를 제대로 느낄 수 있는 여행을 시켜드리리라! 엄마를 위해 머릿속으로 열심히 코스를 짜놓았지만 헛수고였다. 엄마는 제주도에서 안 가본 곳이 별로 없었다.

'엄마를 위한 맞춤 코스'가 허탈하게 무산되면서 내가 처음 혼자 살았던 대평리로 갔다. 바다가 보이는 카페에 자리를 잡자 엄마는 여기가 가장 좋다며 일어날 생각을 안 하신다. 덕분에 엄마와 아빠의 연애담을 자세히 들을 수 있었다.

"엄마가 여고 졸업하고 부산의 군부대에서 영문 타이피스트로 근무할 때 아빠를 만났어. 아빠가 월남 갔다가 부산 군부대로 발령이 났거든. 에덴동산에서 데이트를 하는데 갑자기 뽀뽀하려고 해서 내가 기겁해 아빠만 두고 집에 와버렸지. 네 아빠 성질 알지? 부하한테 막 그랬대. '어떻게 나한테 이럴 수가 있느냐! 절교하겠다!' 그러니까 그 부하가 그러더래. '형님, 요즘 그런 여자 없습니다.' 결국 다시 만났지. 몇 년 전에 짐 정리하다가 그때 주고받은 연애편지가 나와서 다 태웠어."

"그걸 왜 태워? 기념으로 남겨둬야지."

"눈뜨고 못 본다. 경~ 사랑하는 경, 보고 싶소, 막 이러면서."

아빠는 제대 후 영어 교사를 하다가 다른 직장을 구하려고 혼자 서울로 갔다. 번듯한 직장이 있어야 결혼 허락을 받을 수 있었기 때문이다. 당시 외할아버지는 아빠가 가난하다는 이유로 탐탁지 않아 하셨단다.

"아빠는 정말 빈손으로 엄마랑 결혼했어. 친할머니가 탄 곗돈 15만 원, 엄마가 갖고 있던 10만 원을 보태서 한남동 달동네 꼭대기에 방을 얻었지. 그 동네에서만 이사를 네 번 다녔어. 아빠는 돈 아끼려고 점심시간이면 집까지 걸어와서 밥을 먹었는데, 그 시간이 어찌나 정확한지 동네 가게 사람들이 아빠가 지나가면 12시란 걸 알았대. 그때가 1975년도쯤? 300만 원이면 집을 살 수 있던 시절이야. 그때 아빠 월급이 7만 원이었거든."

엄마, 아빠는 지독하다, 치사하다 소리를 들을 만큼 안 먹고 안 입고 안 쓰고 7년 만에 아파트를 장만했다. 그때 엄마 나이가 서른넷. 묘하게도 지금의 내 나이다. 같은 나이를 살았던 두 여자의 선택은 이렇게도 다르다. 위만 바라보며 안정된 삶을 지키기 위해 쉼 없이 달려온 엄마, 아빠는 아무리 시대가 변했다 해도 당연히 자식도 같은 길을 걸으리라 예상했을 것이다. 그런데 숨이 차니 좀 쉬어야겠다면서 브레이크를 질끈 밟아버리고 훌쩍 제주로 건너간 딸을 온전히 받아들이기란 쉽지 않았을 것이다.

△

3박 4일의 시간이 지나고 엄마 혼자 서울로 올라가던 날, 내가 물었다. 사찰 결과가 궁금했다.

"엄마, 집에 가서 아빠한테 뭐라고 보고할 거야?"

"생각보다 남희가 잘 먹고 잘 지낸다고, 걱정 안 해도 될 것 같다고.

무엇보다 네가 선택한 길인데 어떡하니? 말릴 수 있는 것도 아니고. 옆에 없으니까 걱정은 되는데 할 수 없지."

엄마는 내 손을 한 번 잡더니 뒤도 안 돌아보고 제주공항 검색대를 통과했다. 비행기를 제대로 잘 탔는지, 서울에 잘 내렸는지 궁금해서 전화를 기다리고 있는데 집으로 가는 공항버스에서 엄마가 문자를 보냈다.

"3일 동안 너랑 같이 제주도에서 잘 보냈다. 너 나름대로 그곳에서 역할을 잘 해나가고 있는 것 같아 엄마는 마음이 놓인다. 고생했다, 엄마랑 놀아주느라. 복 받을 겨."

엄마와 나는 서로를 걱정하고 있었지만 엄마는 내 예상보다 제주의 집에 훨씬 잘 적응했고 혼자서도 헤매지 않고 서울로 잘 올라가셨다. 나는 그냥 이렇게 생각하기로 했다. 엄마의 살아온 길과 내가 걷는 길은 다르지만 지금은 그저 이대로도 좋다고 말이다.

그녀들의 엄마가 떴다

△

엄마라는 존재. 육지에 가족을 두고 혼자 제주도에 내려와 사는 여자들에게는 늘 보고 싶고 그리운 대상이다. 그렇지만 막상 제주도에 행차하신다는 통보가 떨어지는 순간부터는 긴장과 공포의 존재가 된다. 가족을 두고 혈혈단신 제주도에 가서 살겠다고 할 때 쌍수 들어 환영할 엄마는 별로 없다. 그러니 괜스레 죄짓고 사는 기분인 딸들의 입장에서 '엄마가 온다'는 것은 잔소리 폭탄과 함께 암행어사가 뜨는 일이나 마찬가지다.

우리 엄마의 감사와 사찰이 무난하고 훈훈하게 종료되었을 무렵 여자 1호 유라의 어머니가 오셨다. 셰어하우스를 꾸려가는 내 입장에서는 피할 수 없는 긴장의 연속이었다. 한데 우리가 할 수 있는 일이 별달리 무엇이 있으랴. 피할 수 없다면 최대한 잘 준비하고 솔직하게 보여 드리고 숨길 수 있는 일이라면 숨길 뿐.

△

유라의 어머니는 어느 가을날, 우리가 집에서 뒹굴뒹굴 시간을 보내고 있을 때 불시에 등장하셨다. 청소는 물론이고 대접할 것도 제대로 없는 위기의 상황이었다. 어머니는 살짝 굳은 표정으로 집 밖에서 여기저기를 둘러보셨고, 나는 왠지 검찰조사 받는 부실기업 사장처럼 등에 식은땀이 났다. 꼬박꼬박 '어머니'라고 부르며 존댓말을 하는 유라와 나는 거실 마룻바닥에 앉아 어머니가 사 오신 빵과 함께 차를 마시며 이런저런 얘기를 나눴다. 대부분의 대화는 "너무 걱정하지 마세요. 저희 생각보다 잘 살고 있어요"였다.

짧은 담소를 나눈 뒤 모녀는 일어나 외출했고, 나는 남은 빵을 우적우적 씹으며 내가 왜 이토록 긴장했을까 곰곰이 생각했다. 그녀들에게 살 공간을 제공하고 삶의 일부를 공유하고 있다는 이유로 어쩌면 나는 일말의 책임감을 느끼고 있는 것일까?

괜한 예민함과 오지랖 넓음일 수도 있다. 사실 이런 감정과 생각은 시간이 흐르고 다양한 '그녀들'이 우리 집을 오가면서 차츰 옅어져갔으니까.

어머니가 돌아간 뒤 유라가 말했다.

"나, 엄마와 첫 여행이었어요. 엄마랑 울면서 이런저런 얘기도 많이

© 임종진

했고. 울 엄마 표정에 긴장했어요? 하하, 집이 마음에 안 들거나 걱정
하셔서 그런 거 아니야. 엄마 표정이 원래 좀 그래."
나는 비로소 한숨을 돌릴 수 있었다.

△

여자 3호 경희 언니의 어머니도 셰어하우스에 오셨다. 마흔 살 경희
언니와 그녀의 연세 많은 어머니는 우리 집에서 이틀을 지냈다. 마을
의 한 식당에서 어머니가 사주신 근고기를 배불리 먹은 다음 날, 경희
언니로부터 전화가 걸려왔다.
"갑자기 미안한데…… 나 내일 서울 올라가."
경희 언니가 우리 집에 산 지 한 달 만에 벌어진 일이었다. 애초 계획
대로라면 언니는 우리 집에서 반년을 살 예정이었다. 우리 집이 마음
에 들어서 집 앞 빈 창고에 국수집을 차릴 계획으로 부푼 꿈을 키우던
언니였다. 마침 주인집 할아버지와 5년 장기계약을 협의하던 중이었
는데, 엄마에게 그 계획을 털어놓자마자 눈물로 호소를 하신 모양이
었다. 막내딸인 언니를 제주도에 보내고 노심초사하셨을 어머니는 잠
시 있다 올라오겠거니 했던 딸이 '5년 계약' 운운하자 안 되겠다 싶으
셨던 것이다. 노모가 눈물로 호소하는데 설득당하지 않을 딸이 어디
있으랴. 황망히 짐을 싸는 언니를 떠나보내고 나는 며칠 헛헛한 마음
에 시달렸다.
엄마들의 방문이 일단락될 무렵 엉뚱하게도 '역시 우리 엄마가 대단

하구나' 하는 생각이 들었다. "이제 그만 올라가자"라든지 "집 꼬락서니가 이게 뭐냐" 같은 잔소리 한마디 없이 3박 4일을 잘 지내시다가 공항 게이트를 훌쩍 빠져나간 우리 엄마 말이다.

보고 싶다. 하지만 또 오신다고 하면 나는 다시 '후덜덜'할 것 같다.

겨울 난로의 추억

△

제주도를 괜히 삼다도라 할까. 내가 사는 이곳 제주도는 시도 때도 없이 강풍, 돌풍이 분다. 요사이 며칠간은 비바람, 우박을 동반한 돌풍이 불기도 했는데 시기를 잘못 맞춰 제주도에 온 관광객이나 제주 생활이 얼마 되지 않은 이주민은 겁을 집어먹기 십상이다.

나는 그래도 나름 제주도 바람 좀 맞아봤으니 두려움보다는 현실적인 고민이 앞섰다. '강풍이 불면 집 앞에 낙엽이 날아와 쓰레기가 또 가득해질 텐데 언제 치우나'라든지, '정말 춥다. 이번 겨울을 또 어찌 버텨낼까' 하는 것들 말이다.

이해가 잘 안 될 수도 있지만 제주 역시 겨울엔 춥다. 의심하는 사람들이 있다면 그들에게 말하고 싶다. 제주도에 와서 한번 살아보라고.

겨울 추위를 앞두고 나는 고민이 많았다. 어떻게 하면 난방비를 최대한 줄이면서 덜 춥게 겨울을 날 수 있을까? 더구나 우리 집은 제주 이주민들이 모여 사는 셰어하우스다. 형편이 넉넉지 않은 젊은 이주민들이 모여 사니 겨울철 난방비 절감은 최우선 과제다.

덕분에 이때껏 서울에서 해본 적 없는 고민과 연구에 돌입했다. 도시가스가 빵빵하게 들어오는 서울에선 보일러 버튼 하나 누르면 끝이고, 가스비가 걱정된다면 옷을 껴입거나 실내 온도를 낮추면 그만이다. 그러나 제주도 중산간의 농촌 저지리에 사는 나는 이제 그런 편리함과는 안녕한 지 오래다.

불편함보다 더 큰 문제는 난방비다. 한 보일러 광고에서 신구 할배가 "시골에 산다고 아무 걱정 없을 것 같지? 4주만 살아봐, 가스비 걱정 엄청해~"라고 말할 때, 나도 모르게 "그럼, 그럼!" 하면서 맞장구를 친 적도 있다.

제주도는 아직 일부 지역에만 도시가스가 공급된다. 제주시 주택가들은 주로 기름보일러를 쓰고, 아파트에서는 자체적으로 단지 내 가스 저장소를 둔다. 제주시를 벗어나면 대부분 기름보일러를 쓰거나 LPG 가스통을 배달시킨다. 따라서 육지에서 살던 습관대로 난방을 하면 요금 폭탄을 맞고 통곡하기 십상이다.

제주의 읍면지역에서 기름보일러나 LPG를 이용해 난방을 하는 집은 목욕을 위해 온수만을 사용하는 경우가 많다. 그래서 화목난로, 전기장판, 온수매트 등의 보조 난방기구가 꼭 필요하다. 나중에 남편과 함께 저지리 농가 주택으로 이사를 나간 여자 1호 유라는 기름보일러의 기름 통에 약 30만 원 정도의 기름을 채워 한겨울을 났다. 정말 추운 날을 빼곤 난방을 거의 하지 않고 화목난로에 의지했으며 기름은 온수를 이용할 때만 썼다.

우리 집은 보일러 없이 전기 판넬로 난방을 했기 때문에 기름이나 LPG 값 걱정은 안 했지만 엉덩이는 몹시 뜨거운데 외풍이 강해 코가 시린 것이 문제였다. 그래서 거실과 부엌 공기를 데울 난방기구로 뭐가 좋을지 고민에 빠졌다. 화목난로, 석유난로, 가스난로, 전기히터, 온풍기 등 온갖 종류를 비교하며 하루에도 열두 번씩 고민을 하다가 날씨가 점점 추워지자 마음이 다급해졌다. 일단 유라의 '카더라 통신'에 따라 지인이 써보니 꽤 쓸 만하다는 전기 콘벡터를 질렀다. 그럭저럭 괜찮았다.

△

남은 고민은 부엌 난방. 마지막까지 포기하기 어려웠던 물건이 바로 화목난로다. 전기히터는 전기세 폭탄이라는 복병이 걱정되고 온풍기는 공기가 탁해져서 싫고 석유나 가스난로는 왠지 겁이 났다. 하지만 화목난로는 생각만 해도 따뜻한 느낌이 들었다. 그윽하게 나무 타는 냄새가 나면서 공간 전체가 훈훈해지고 난로 위에 펄펄 물도 끓일 수 있으며 심지어 고구마와 귤도 구워 먹을 수 있다(제주도에서는 감귤을 구워 먹기도 한다). 우리 집 여자들이 맛나게 잘 구워진 고구마와 귤을 정답게 나눠 먹으며 난롯가에 앉아 도란도란 수다 떠는 모습을 떠올리기만 해도 흐뭇했다. 농촌에서 각광 받는다는 화목난로를 놓고 싶어 마음이 자꾸 간질간질했다.

그러나 결국 몇 가지 단점 앞에 무릎을 꿇어야 했다. 가급적 잘 마른 나무를 미리미리 구해서 쪼개둬야 하는 불편함과 정기적인 연통 청소가 걸림돌이었다. 요즘은 화목난로용 나무를 인터넷에서도 판매한다지만 제주도에서 연료용 나무를 제값 주고 사는 일은 흔치 않다. 재주껏 알음알음으로 구해야 한다.

△

난로 문제를 놓고 우리는 대책 회의를 했다.

"이걸 우리가 관리할 수 있을까?"

"언니, 아무리 생각해도 우리 생활 방식으론 무리라고 봐요."

"내 생각에도 그래."

화목난로를 포기한 후 석유난로와 가스난로 사이에서 다시 고민이 시작됐다. 효율은 비슷하다지만 배달 주문이 많은 겨울철에는 가정집에서 가스 보충하기가 어렵다는 사실을 몇 차례 경험으로 알고 있어 결국 중고 석유난로를 샀다.

철물점에서 5000원짜리 호스 달린 기름통을 사고 주유소에서 기름 한 통을 가득 채우니 2만 5000원이다. 기름통을 들고 집으로 가다가 문득 이런 생각이 들었다.

"내가 기름을 받아서 난방을 하다니, 정말 별걸 다해보는구나."

서울에 살면서는 기름통을 들고 다닐 일이 전혀 없었다. 차에 주유하러 갈 때도 실내등유 주유기를 보면서 '도대체 어디다 쓰는 거지?'라는 무식한 생각을 할 정도였으니 말이다.

중고물품 매장에서도 없어서 못 판다는 구식 석유난로에 펌프로 기름을 넣고 토치로 심지에 불을 붙였다. 석유 냄새가 한 바퀴 싹 돌더니 불이 활활 타올랐다.

△

불꽃과 함께 갑자기 20세기로 돌아간 느낌이 들었다. 군고구마를 정답게 나눠 먹는 아름다운 상상은 곧 기름 배달을 서로 피하기 위한 살벌 가위바위보의 장면으로 바뀌고 있었지만 어쩔 수 없는 일이다. 그것도 나름의 재미와 추억이 될지 모르니까.

난방기구를 장만했지만 집은 여전히 춥고 고생스럽다. 나는 마트에서 '김장바지'라는 이름이 붙어 있는 몸뻬를 샀다. 여인네의 라인이라곤 전혀 고려치 않은, 오직 따뜻함과 편안함만을 목적으로 만들어진 듯한 바지. 첫눈에 '바로 이거야!'라는 느낌은 틀리지 않았다. 실제로 집 안에서 벗지 못하고 있다(동네에서는 가끔 입고 다닌다). 발밑에 고양이가 자고 있으면 손을 쑥 뻗어 고양이를 안고 체온을 느끼기도 한다.

집 안으로 새어 들어오는 바람도 막아야 했다. 마침 유라의 신랑이 와 있길래 손을 빌려 창문마다 이중으로 비닐을 쳤다. 창문 틈새에 우레

탄 폼을 바를 때 멋모르고 맨손으로 만졌다가 엉망이 된 손 때문에 고생을 하기도 했다.

△

겨울 추위를 대비하느라 정신없는 와중에 정작 우리의 몸과 마음을 따뜻하게 해주는 것은 따로 있었으니 바로 마을 이웃들이다. 대강 수습해놓았던 무너진 대문은 근처에서 공방을 하는 제주 토박이 어른이 자재비만 받고 멋지게 새로 달아주셨다. 대문이 단단하게 버티고 있으니 왠지 덜 추운 느낌이다. 이웃 어르신들이 갖다주신 달콤한 감귤도 훈훈함을 더한다.

어느새 제주도에서 맞는 두 번째 겨울이고 농가 주택에 살면서는 처음 맞는 겨울이다. 춥고 불편해도 함께 돕는 이웃들이 있어 큰 걱정은 없다. 가장 확실한 난방 방법이기도 한 한라산소주로 가끔 속을 데워가면서 말이다.

가진 건 진심뿐이란 걸

△

오랜만에 제주도의 바람 소리가 제법 무서운 밤이었다. 서귀포시 표선면 가시리에 있는 한 게스트하우스에서 나는 젊은 예술가들 열한 명과 둘러앉아 있었다. 일주일간의 워크숍 중반 즈음이었다. 예술가들이 저마다 한마디씩 한 뒤 나에게 마지막으로 발언 기회가 주어졌다.

"누가 마을에 들어가서 살게 되든 진정성을 가지고 마을 사람들 사이에 녹아들면서 작업을 했으면 좋겠어요. 예를 들어 마을의 퐁낭(팽나무)에 부채를 단다고 하면 우리가 보기엔 멋져 보일 수 있지만 어르신들이 보기엔 그렇지 않을 수도 있잖아요. 경운기마다 페인팅 작업을 한다고 하면 방송에서 그림으로 만들기엔 좋겠지만 어르신들의 생각은 또 다를 수 있고요."

다음 날 나는 후회했다. 마을 원주민도 아니면서 무슨 '진정성'을 운운하고 또 마을에 무엇이 어울리고 마을 사람들이 무엇을 좋아하는지 어떻게 안다고 이런 말을 쏟아냈을까. 더구나 예술에 대해 잘 알지도 못하면서 이런저런 평가까지 해버리다니.

△

육지에서 온 열한 명의 젊은 예술가들을 한자리에 불러 모은 이는 우리 집에 살았던 여자 1호 유라였다. 그녀는 남편과 함께 제주도에서 가장 작은 마을, 한림읍 한림3리에서 새로운 프로젝트를 준비하고 있었다. 한림3리의 인구는 100여 명이다. 요즘 제주도 마을들 같지 않게 이주민도 젊은 사람도 찾아보기가 아직은 쉽지 않은 곳이다. 마을을 돌아보는 데 걸어서 10분이면 족하다.

요즘은 육지의 예술가들이 자연 환경이 좋은 제주도에 살면서 작업을 하는 경우가 많다. 이른바 '문화이주자'로 불리는 사람들이다. 마을에 살다가 금방 떠나버리거나 마을 사람들과의 간극을 좁히지 못하는 경우들을 보면서 고민이 많았던 유라는 제주도의 가장 작은 마을에서 사진을 하는 남편과 아이도 낳고, 천천히 느리게 작업을 하면서 살면 어떨까 구상하고 있었다. 유라 부부는 그 걸음에 동참할 의사가 있는 젊은 예술가들을 모아 한림3리 어르신들에게 인사를 시키고 제주의 역사와 문화, 생태를 공부하는 워크숍을 일주일 동안 진행했다.

△

나는 직장인의 삶을, 유라는 예술가의 삶을 살아왔다. 전혀 다른 삶을
살아온 두 여자의 동거는 쉽지 않았다. 낯선 사람들이 만나 함께 살면
어느 정도의 충돌과 갈등은 불가피하다는 사실을 머리로는 알면서도
막상 서로 다른 상대를 이해하기란 결코 쉽지 않았다. 육지에서 제주
도로 건너온 지 한 달 만에 그녀는 울고 있었다. 그것은 왠지 모를 서
러움이었으리라.

그 서러운 눈물이 낯설지가 않았다. 잊은 줄 알았던 기억이 다시 떠올
랐다. 제주도에 혼자 내려온 지 얼마 되지 않아 흘렸던 눈물. 제주도
에서 믿고 의지하고 싶었던 누군가로부터 "너와는 맞지 않는 것 같아.
우리는 달라"라는 말을 들었을 때였다. 외로운 섬 속의 섬, 그것이 나
였고 또 유라였다.

그녀가 판포리 바닷가에서 목 놓아 우는 것을 보면서 느꼈던 자괴감
이 채 사라지기도 전에 나는 어느새 다시 그녀를 가르치고 있었다. 워
크숍을 준비하면서 역사, 문화, 생태 등 각 분야의 강사들을 섭외하고
마을 분들과 협의하는 과정이 내 눈엔 '뭔가 어설픈' 그녀에게 나는 점
점 잔소리쟁이가 되어갔다.

"제주도 인맥은 한 다리만 건너면 모두가 연결돼. 그러니까 뭐든 조심
해야 해. 사람들 체면을 세워주고 거기서 실리를 찾아야 해."

"아니지, 아니야, 그런 식으로 접근하면 안 돼. 이 사람은 이렇고 저
사람은 저런 부분을 기대하는 것 같으니까 그렇게 해줘."

육지에서 직장 생활을 하면서 체득한 눈치, 밀당(밀고 당기기), 체면치레, 협상 등 각종 인간관계론을 다 가져다가 잔뜩 '썰'을 풀고 있는 나. 답답해서 복장 터지는 내게 그녀는 강아지 같은 눈망울로 이렇게 말했다.

"언니는 내가 못 보는 걸 보는구나. 어쨌든 그냥 천천히, 진심을 갖고 하면 될 거라 믿어요. 난 그것밖에는 가진 게 없으니까."

△

진심. 그녀의 말에 내 머릿속이 하얘졌다. 천천히 마음을 열고 한림3리에서의 일들에 동참하기로 마음먹었던 초심을 나는 어느새 잊고 있었다. 가장 싫어하던 부류의 사람들을 제주도 생활 1년 반 만에 따라 하고 있었으니 말이다. 육지에서 먼저 입도했다는 이유로 이곳 섬사람들을 다 아는 척 잘난 체하면서 섬에 갓 들어온 사람들은 아무것도 모른다며 무시하는 사람들처럼.

우리는 제주도가 좋아서 살러 온 공통점이 있다. 물론 각자 다른 삶을 살아왔고, 다른 생각을 품고 이 섬에 들어왔다. 삶의 방식이나 목표도 다르다. 그런 사람들에게 '제주 이민' 선배라는 이유로 내 방식과 인맥이 옳다고 강요하진 않았을까. 그것이 아무리 선의였다고 해도 말이다. 언젠가 나와 비슷한 제주 이민자 한 사람과 술잔을 기울이며 대화를 하다가 공감했던 부분이 있다.

"제주에 내려와 살면 육지에 있는 사람들에게 과시하기 딱 좋아. 표면

적으론 여유롭고 아름다운 삶이잖아. 잘나가는 것처럼 보이는 사람들과 친해지면 나도 잘나가는 것처럼 보이게 하기도 쉬워. 그렇지만 섬에는 비밀이 없어. 어제 내가 한 말과 행동을 다음 날 모두 알고 있더라고. 그러다 보니 아군도 없더라. 믿을 수 있는 아군이 누군지를 알 수가 없어. 몇 년을 여기 살았지만 이런 말조차 쉽게 꺼내기가 겁나."

△

입도조(入島祖)라는 말이 있다. 제주의 토착 성씨인 고씨·부씨·양씨를 제외하면 제주의 성씨는 모두 다른 지역에서 건너왔다. 어떠한 이유로 제주에 들어와 정착했든 그 후손들은 제주에 최초로 정착한 선조를 입도조라 불렀다.

요즘에는 섬에 들어온 '육지 것'을 이르는 다른 말로도 이해할 수 있다. 섬에 대대로 살아온 이들과 달리 이제 갓 입도해서 일대조가 되었다는 뜻이다. 섬사람으로 살아가려고 연고도 없이 찾아온 이들을 구성원의 일부로 포용해주는 맥락의 말이기도 할 것이다.

유라와 남편은 한림3리에 원하는 공간을 구하지 못해 우리가 살던 저지리 마을에 둥지를 틀었다. 그녀는 '동거녀'에서 다시 '이웃'이 되었다. 제주라는 섬으로 들어와 살아가고 있는 나도, 작은 마을에서 단단하게 뿌리를 내리려고 준비하고 있는 유라도 이 섬에 적응 중인 입도조 동지다. 우리는 이 섬에서도 다른 길을 가겠지만 아군은 하나 얻은 셈이다.

이주민을 슬프게 하는 것들

△

제주에서 좀 살아봤다고 가끔 거만을 떨 때가 있다. 렌터카를 운전하던 관광객이 안개가 자욱하다 못해 한 치 앞도 안 보이는 도로 위에서 비상등을 켜고 '멘붕' 상태로 기어가는 것을 볼 때, 육지에는 별로 없지만 제주에는 제법 많은 신호등 없는 로터리 앞에서 어떻게 해야 할지 몰라 쩔쩔 매고 있는 것을 볼 때 그렇다. 저러다가 오늘 안에 로터리에 진입할 수 있을까 하며 웃음 짓게 된다.

그런데 이런 이주민들도 뒤통수를 부여잡을 때가 있다. 바로 '이상한 이주민'을 만났을 때다. 육지에서 내려온 사람들이 많아지면서 점점 다양한 사람들을 만나게 되는데, 어쩌면 수십 년을 살던 곳을 떠나 제주라는 섬으로 이주를 감행할 정도면 그것만으로도 평범한 사람들이 아닐지도 모른다. "왜 왔소?"라는 질문에 "한번 살아보고 싶어서"라고 대답하면 그뿐이다. 그 이상 무엇을 더 묻겠는가. 사실 나도 그렇게 대답하고 말아버린다.

물론 삶의 부침이 있었거나, 육지를 꼭 떠나야 할 절박한 이유가 있었을 수도 있다. 하지만 육지에서 살았던 그들의 행적을 세세히 알 길은 없다. "나 육지에서 뭐 했소. 여차저차 해서 오게 됐소"라고 본인 입에서 나오는 말에 의지할 수밖에 없는 것이다.

△

이상한 이주민들 때문에 애꿎은 피해자가 생긴다면 문제의 차원이 달라진다. 우선, 자기 것이 아닌데 자기 것이라 말하고 다니는 사람들이 있다. 하루가 멀다 하고 카페와 게스트하우스, 예술 관련 건물이 들어서는 곳이 제주도다. 그러다 보니 집주인의 지인에 불과한 사람이 자기 건물인양 애매모호하게 흘리고 다녀도 막을 재간이 없다.

이미 너무 난립해서 뒤늦게 뛰어든 경우 수익을 내기 힘든 업종 중 하나가 게스트하우스다. 그러다 보니 장사가 잘 안돼 운영이 어려워지면 제주에 막 내려온 사람들이 타깃이 된다. "사정상 갑자기 육지로 돌아가게 됐다"고 둘러대며 '비싸게' 팔아치우는 것이다. 속사정도 모른 채 이런 카페나 게스트하우스를 인수한 사람들은 꿈에 부푼다. 한발 물러나 찬찬히 살피고 냉정하게 따져보는 일이 순서일 텐데 왠지 대박이 날 것 같은 상상에 사로잡혀 주변의 다른 이주민들에게 돈을 융통하기 바쁘다. 이쪽저쪽에 무리하게 손을 벌렸다가 막상 장사가 잘 안돼 궁지에 몰리면, 또 어느 날 감쪽같이 사라진다.

제주도에서 오랫동안 사업을 해온 이주민이 다른 이주민들에게 일만 시키고 월급을 주지 않았다는 이야기도 들었다. 바로 어제까지도 같이 술잔을 기울이던 사람이 '육지에서 강력범죄를 저지르고 도망왔다'는 소문에 휩싸이다가 어느새 슬그머니 소문이 사라지기도 했다.

'변태 이주민'도 있다. 멀쩡한 사람인 줄 알았는데 일면식 후에 '오빠'를 자처하며 이상한 사진으로 메시지 폭탄을 날리는 경우다. 육지에서 내려와 제주에서 활동하던 한 공연기획자는 유명 연예인의 노래를 자신이 만들었다고 속였다가 탄로 난 적도 있다.

△

섬과 육지를 구분하려는 것이 아니다. 똑같이 사람 사는 곳인데 왜 별별 일이 없겠는가. 그런데 서울과 달리 이 모든 사건과 사고를 제주에서 불과 몇 년 살지 않은 내가 직접 보고 듣고 겪었다고 생각해보면 엄청난 일이다. 이런 일들이 벌어질 때마다 제주 사람들이 이주민 욕하는 것에 할 말이 없어진다.

낮게, 허리를 숙이는 마음

△

제주도에서 살면서 생긴 변화 중 하나는 육지에서보다 조금 부지런해졌다는 점이다. 이 부지런함은 사실 어쩔 수 없는 면이 있다. 육지에선 출근하지 않는 주말이면 '건어물녀'라는 말처럼 집 안에 널브러져지냈지만 여기서는 그럴 수가 없다. 시골에서 산다는 것은 몸을 움직이지 않을 수 없는 구조에 속함을 의미한다.

거센 바람이 시시때때로 부는 제주에서는 미리 잘 정리해놓지 않으면마당의 물건들이 어디로 날아갈지 알 수 없다. 화단이나 텃밭도 수시로 정리하지 않으면 곤란하다. 아무리 정성 들여 잡초를 뽑아도 주변밭들이 정리되지 않으면 바람을 타고 날아오는 씨앗을 막을 수 없다. 이 말은 내 밭에 무신경하면 다른 사람들에게 민폐가 됨을 뜻한다. 안

보는 것 같아도 마을 사람들은 오며 가며 다 보고 있다.

△

집이 넓어진 이유도 있다. 단칸방에 살다가 코딱지만 한 크기지만 어쨌든 방 네 개와 마루, 부엌건물(오래된 농가 주택에는 부엌이 따로 있다), 창고, 마당, 텃밭, 화단이 딸린 집에 살게 되니 하루라도 몸을 움직이지 않으면 바로 엉망이 된다. 여름이면 벌레 잡기 바쁘고 지붕과 마당의 열을 식히느라 수도 호스로 쉴 새 없이 물을 뿌려야 한다. 겨울이면 틈새로 들어오는 바람을 막느라 정신없고 난로에 기름이 떨어지지 않도록 늘 대비해야 한다.

어느 날엔 지쳐서 부지런함을 놓고 싶을 때도 있다. 다음 주말엔 꼭 바다가 보이는 카페에 앉아 노트북을 꺼내 놓고 글을 써야지, 고사리 철이 돌아왔으니 고사리 꺾으러 나가야지, 아직 못 가본 올레길을 걸어야지 하는 바람들은 다음 주, 그다음 주로 계속 밀리고 그러다가 계절이 바뀐다.

△

텃밭 농사도 마찬가지다. 봄이 되면 텃밭을 갈아엎고 모종을 심어 채소를 키우면 식재료 비용을 줄일 수 있다. 처음엔 텃밭 농사가 무척 재미있어 보였다. 여유로운 귀촌 생활자의 상징과도 같은 낭만에 빠져들었다.

저지리로 이사 와 텃밭이 생기자마자 땅을 대충 갈아엎고, 오일장에 가서 배추, 상추, 방울토마토, 브로콜리, 양배추 등 온갖 모종을 사다가 심었다. 신경 써서 매일 물을 주고 초조하게 지켜봤다. 싹이 나고 잎이 솟더니 어느새 쑥쑥 자라서 수확의 기쁨을 안겨줄 땐 정말 행복했다. 귀농·귀촌교육을 받은 옆집 오빠네 텃밭보다 비료 한 번 안 준 우리 집 텃밭 채소가 더 잘 자라서 "나는 농사에 소질이 있나 봐"하며 으쓱하기도 했다(사실 밭이 다를 뿐이다).

하지만 작은 텃밭도 만만하게 볼 일이 아니었다. 며칠만 돌보지 않아도 갑자기 웃자라버린다. 이런 날은 텃밭에 나가면 정글에 서 있는 듯한 착각이 든다. 한번은 아무 생각 없이 배추를 심었는데 새벽같이 일어나 배추벌레를 잡아줘야 한다는 말에 망연자실한 적도 있다.

농사에 대해 아는 것 하나 없으면서 무슨 욕심인가 싶고 점점 자포자기 상태가 되면서 자연스럽게 '무관심 농법'으로 전환했다. 말은 거창하지만 그냥 자라거나 말거나 방치하기다. 덕분에 밭에 나가면 정글 속에서 배추꽃을 노랗게 피우다 못해 무서워진 배추들을 만나게 된다. 성장촉진제라도 맞은 듯 세숫대야만 해진 브로콜리도 볼 수 있다. 하늘을 찌를 것 같은 상추더미는 덤이다.

무농약이라고 믿으면서, 채소들에게 미안해하면서, 먹을 수 있는 것만 가끔씩 걷어 식탁에 올린다. 어느새 옆집 오빠도 나의 '무관심 농법'으로 전환해 감귤을 키우더니 심지어 달고 맛있다며 당당히 육지 친구들에게 배송한다.

제주 이주 3년차가 됐지만 여전히 나는 부지런함이나 깨끗함과는 거리가 멀다. 농사짓는 분들의 부지런함을 다시 생각하게 된다. 촌에서 산다는 것은 부지런히 몸을 움직이고 그러한 노력과 과정을 귀찮게 여기지 않는 마음을 마련하는 일이다.

이제는 함부로 텃밭에 모종을 심거나 씨를 뿌리지 않는다. 스스로 잘 관리할 자신이 없다면 그것은 땅에도, 함부로 자라게 될 작물에도 미안한 일밖에 되지 않기 때문이다.

제주 것 다 됐네

△

몇 달 전부터 나는 도내의 한 협동조합에서 일하고 있다. 직장 생활을 다시 시작하기까지 고민이 없진 않았다. 판에 박힌 일상과 때에 찌든 직장 생활에 지쳐 과감히 사표를 내고 제주로 내려왔는데 다시 전과 같은 일상으로 돌아가게 될까 봐 두렵기도 했다. 실제로 주변에 그런 이들이 있다. 제주도가 좋아서 살러 오긴 했는데, 배운 게 도둑질이라고, 육지에서 하던 경력을 살려 다시 직장 생활을 시작한 경우다. 아침 일찍 출근하고 어둑한 밤에 별 보고 퇴근하는 생활을 반복하다가 "내가 이렇게 살 거면 제주도에 왜 온 거야?"라는 생각에 괴로워하는 이들. 나 또한 그렇게 될까 봐 내심 무서웠다.

그래서 몇 가지 원칙을 정했다. 우선 일반 기업에는 들어가지 않기로 했다. 제주 사람들을 많이 만날 수 있으면서도 사람 냄새 나는 직장을 찾았다. 나 같은 이주민들에게 도움이 되는 의미 있는 일이면 더 좋겠다고 생각했다. 이 세 가지 조건에 부합하는 곳이 바로 협동조합이었다. 업무 스트레스가 크지 않은 데다 칼퇴근이 보장되니 내겐 안성맞춤이었다.

△

제주도에서 직장 생활을 해보면 어떨까 하는 호기심도 있었다. 제주 사람들과 일을 해본 육지 사람들의 여러 이야기들이 사실인지도 궁금했다. 개인적이다. 집안일이나 괸당 일이 생기면 업무 시간에도 갑자기 사라진다. 육지 사람이라고 하면 배척부터 한다는 이야기들. 심지어 어떤 육지 사람은 다시는 제주 토박이들과 일하지 않겠다고 손사래를 치기도 했다.

"제주 사람들이 배타적이라서 힘들다고 불평하는 육지 사람들이 있던데, 나는 왜 그런 일이 별로 없을까요? 내가 둔한가? 지금까지 여기서 만난 사람들은 다 좋던걸요?"

"네가 그 사람들이랑 일을 안 해서 그런 거야."

평소 알고 지내던 분의 말씀에 고개를 끄덕였다. 제주 사람인 그는 육지에서 학교와 직장을 다녔고 지금은 잠시 제주에 쉬러 와 있는 상태였다. 맞는 말이다. 어떤 인간관계도 이해관계가 얽히고 함께 일을 해보면 사정이 달라진다. 만나서 노는 관계와 일하는 관계는 다르다. 같이 맛있는 음식을 먹으며 술잔 부딪치고 살아가는 이야기에 맞장구치고 개발과 투기에 몸살을 앓는 제주를 걱정하며 의기투합하기는 쉽지만 매일 얼굴 맞대고 일하다 보면 이런저런 갈등이 생기게 마련이다.

△

직장을 구한 이유 중에는 물론 생활비를 벌기 위함도 있다. 제주도의 물가가 서울보다 싸니까 생활비가 덜 들겠다고 예상하기 쉽지만 반은 맞고 반은 틀리다. 택배비는 육지보다 몇 천 원 더 들고, 배로 실어오는 배송이 안 되는 경우도 많다. 기름값은 서울보다 리터당 100원 정도 더 비싼 편이지만 차 없이는 생활이 불편하니 울며 겨자 먹기로 차를 이용한다.

조선시대가 아니니 육지에 있는 것이 제주도엔 없거나 하진 않지만 뭐든 풍족한 육지에 비할 수는 없다. 중고 가전의 경우도 재고 물량이 많지 않아 육지보다 훨씬 비싼 편이다. 집을 꾸밀 때 필요한 목재나 부대 도구의 경우도 육지에 비해 비싸고 종류도 많지 않다. 한번은 마트에 물건을 사러 갔는데 몇몇 물건들이 없어서 여러 군데를 돌아다녀야 했다. 태풍이 지나간 직후라 물류에 문제가 생긴 듯했다.

불편한 여건은 절약을 부른다. 백화점이 없으니 비싼 옷이나 물건을 보고 충동구매를 할 일은 거의 없다. 평소 나의 충동구매를 자극했던 홈쇼핑 채널은 텔레비전이 부엌 건물에 고이 모셔진 관계로 거의 보지 않는다.

주말이면 장을 봐야 하는데 서울처럼 집 가까이에 편의점이 있지도 않으니 한 번 살 때마다 계획적으로 장보기를 준비하게 된다. 대체할 수 있는 것은 웬만하면 대체해서 쓰고 함부로 물건을 사지 않는다.

△

입사 초반에 동료들은 "남희 씨는 서울 사람 같지가 않아" 했지만 점점 "제주 것 다 됐네"라더니 이제는 한경면 저지리에 산다는 이유로 '촌년'이라 부른다(사실은 촌년같이 생겼다며…… 슬프다).

제주 토박이 동료들이 무심코 육지 사람들 이야기를 꺼낼 때면 왠지 그 자리가 불편하게 느껴질 때도 있다. 어느 날은 돌려서 말할까 하다가 대놓고 물었다.

"육지 사람들이 여기 많이 살게 되면서 어떤 문제가 있어요?"

그들의 이야기를 종합하면 "육지 사람들이 들어와 공동체를 파괴한다"는 것이다. 그들은 어릴 적부터 어른들이 그렇게 말하는 소리를 들으며 자랐다고 한다. 물론 직접 경험한 일들도 있을 것이다. 어떤 때는 괜히 나보고 하는 소리 같아 불편함을 느끼기도 하지만 어쩔 수 없는 일이다. 불편한 것은 서로가 마찬가지일 테고 우리는 이미 이 섬에서 함께 살고 있으니 말이다.

△

첫인상 좋다는 소리는 잘 들어본 적 없고 나이도 직장 내에서 어린 축

에 속하는 바람에 괜히 '싸가지 없는 육지 것'이 될까 봐 늘 조심스러
웠다. 적응이 되어간다 싶으면서도 여전히 간극이 느껴지는 날들이었
다. 치맥이 몹시도 땡기던 어느 날 퇴근 무렵, 부서장님에게 툭 말을
건넸다.

"저 배고파요. 치맥 사주세요."

맥줏집에 마주 앉은 부서장님도 의외의 한마디를 던졌다.

"남희 씨가 치맥 사달라고 해서 얼마나 기뻤는지 몰라."

예상치 못한 서로의 한마디에 고마움이 오간다. 물론 치맥을 앞에 두
고 같이 신나게 수다를 떨다가도 문득 어색한 질문에 맞닥뜨리긴 하
지만.

"그런데 남희 씨는 왜 제주도에 왔어?"

전에도 분명 답을 했는데 이 질문이 반복되면 왠지 좀 서럽다.

"저번에 말씀드렸잖아요."

"그랬나? 기억 안 나. 하하."

맥주 한잔 들어간 김에 멍청한 말이 불쑥 튀어나올 때도 있다.

"서울에서 직장 다닐 때보다 월급이 삼분의 일로 줄었어요. 먹고사는
일도 그렇고 촌에 살기 힘들어요."

"아니, 누가 오라고 했어?"

맞다. 아무도 오라고 한 사람은 없다. 머쓱해져 맥주를 벌컥 들이켰다.

"이추룩 살앙 이루후제 어떵허겐 햄시?"

"무슨 말이래요?"

"이렇게 살아서 나중에 어떡할 거냐? 라는 뜻이야. 결혼 안 해? 시내로 이사 안 해? 안 힘들어?"

"아 내붑서게(내버려둬요). 할 때 되면 하겠지. 다들 제주도 남자 만나지 말라던데요, 뭘."

"하하, 그건 그래."

밴드 '문제'

△

저지리에 있는 우리 집 왼쪽으로 100미터쯤 걸어가면 즐겨 찾는 카페가 하나 있다. 카페 '소리'. 이름처럼 음악을 좋아하는 사람들이 운영하는 정겨운 곳이다.

주인장은 '가인'과 '직녀'라는 별칭을 쓰는 강신원, 최선아 부부. 음주가무에도 능한 이들은 아트록, 재즈, 대중가요, 민중가요, 인디밴드에 이르기까지 다양한 음악적 취향과 지식을 가지고 있다. 진공관 앰프를 통해 흘러나오는 LP(아날로그 레코드) 소리를 향기로운 커피와 함께 감상할 수 있고, 도내외 유명 음악인들의 공연도 자주 볼 수 있다. 카페의 상징인 개 소리, 소리의 아들 도도, 하얀 오리 제리, 고양이 토리와 메이도 만날 수 있다.

내가 저지리에 입성한 지난여름에 그들도 '저지리 라이프'를 시작했다. 집 공사를 하다가 타는 목마름을 해결하려고 가끔 들르면 그들은 막 카페를 시작한 어설픈 실력으로 커피를 만들어 주곤 했다. 우리 집 공사를 도와주러 와 있던 언니가 마침 커피 관련 회사에서 일하고 있었는데 '커피 좀 마셔봤다'는 그녀가 조용히 한마디 했다.

"여기 커피는 맛이 없네."

아무리 커피는 취향이라지만, 전문가 언니의 말 한마디에 "저 집 참 큰일이야"라며 오지랖 넓은 걱정을 하던 시절이었다.

△

새로 둥지를 튼 저지리에 적응하느라 정신없을 무렵 카페 주인장들과 가까워진 결정적 계기는 새끼 고양이 오월이였다. 오월이를 잃어버렸던 밤, 유라와 녀석을 찾아 헤맬 때 그들은 기꺼이 함께였다. 싸늘하게 돌아온 오월이를 보고 울기만 하는 우리를 차에 태우고 신원 오빠는 저지오름으로 향했다. 묵묵히 삽질을 해 구덩이를 파주었고, 덕분에 오월이 무덤을 잘 만들어줄 수 있었다.

우리의 슬픔을 이해하고 곁에서 위로해주는 두 사람의 마음 씀씀이가 정말 고마웠다. 더구나 카페에서 키우는 고양이 토리는 짧은 삶을 마감한 오월이와 판박이처럼 닮았다. 싫다고 발버둥치는 토리를 얼싸안기 위해 카페를 찾는 발걸음이 더 잦아졌다. 그러다 보니 어느새 마음을 나눌 수 있는 좋은 이웃이 되었다. 카페의 매출 향상을 위해 메뉴

를 고민하거나 손님들이 들이닥치면 주인장을 도와 음식을 만들기도
했다.

△

한라산소주를 앞에 두고 한창 달리던 어느 날 밤, 신원 오빠가 불쑥
제안을 했다.
"밴드 하자."
마이크라곤 노래방에서밖에 잡아본 적 없는 나랑 밴드를? 심지어 다
룰 줄 아는 악기도 하나 없는데?
아, 그렇지만 밴드! 밴드라니! 이 얼마나 멋진 단어란 말인가. 노래방
에서 노래 좀 한다는 소리는 들어봤기에 그만 "오케이"를 외쳐버렸다.
음악에 조예가 있고 이전부터 작곡을 해온 신원 오빠는 노래와 기타
를 맡고 선아 언니는 키보드를 연주한다. 나는 노래만 하고 유라의 남
편 세하는 노래와 기타를 맡았다.
밴드를 하기로 의기투합은 했는데 밴드 이름을 정하기가 어려웠다.
우리의 특징을 잘 표현할 수 있는 게 뭘까 고민하다가 장난기가 발동
한 선아 언니가 한라산소주를 앞에 두고 이렇게 말했다.
"밴드 이름으로 '하얀 거 시원한 거' 어때!"
"좋다! 하얀 거 시원한 거!"
한라산소주를 사랑하는 나는 좋다고 맞장구를 쳐댔지만 진지한 성격
의 신원 오빠는 표정이 어두워지고 있었다. 그러다 밴드 이름은 정작

우연하게 결정되었다. 제주에 살고 있는 '꽃다지' 출신의 가수 조성일 씨가 놀러 왔다가 툭 튀어나온 이름으로.

"밴드 이름이 문제야. 아직 못 정했어."

"그래? 그럼 밴드 이름을 '문제'로 해."

"으잉? 하하."

"그거 괜찮은데?"

문제적 인간들이 모인 티를 너무 내는 것 아니냐는 주변의 우스개 핀잔도 있지만 제주에 뜨는 달이라는 뜻의 'Moon제'라고 의미를 붙이니 그럴듯하고 멋스럽다.

선아 언니가 신원 오빠에게 바가지를 긁는 날이면, 다음 날 그 고뇌를 바탕으로 멋진 노래가 탄생했다. 그가 만든 노래 중 하나인 〈낯선 곳에서〉를 들으며 눈물을 흘린 적도 있다.

서늘한 바람 지친 내게 다가와 살포시 입 맞추면
어디론가 흘러가는 구름에 아픈 기억 띄워서 보내볼까
파도 소리 우는 내게 다가와 살며시 말을 걸면
기약 없이 흘러가는 물결에 나의 눈물 실어서 띄워 보낼까
살아온 날이 때론 상처로 남아 잠 못 이룬 밤에도
밤이 새도록 아픈 날 위로하는 풀벌레들 소리에 외롭지 않아
낯선 곳에서 때론 떠돌이처럼 살아간다고 해도 지금 이 순간
내가 기댈 수 있는 푸른 바다만 있다면 나는 괜찮아

이미 지나가버린 기억 속에 나를 가두고 힘겨워 술로 위로하던 나

이젠 울지 않을래 내가 새긴 상처들 지워버릴래

오랜 꿈을 찾아서 나의 자유를 찾아서

멀리 돌아온 이 길 내 자신을 사랑하는 법을 배우며

살아가고파 이곳에서

—〈낯선 곳에서〉 강신원 작사·작곡

△

우리는 카페 '소리'를 무대로 종종 공연을 한다. 어설픈 실력이지만 머리를 맞대고 편곡을 하고 밤늦게까지 연습을 해서 공연을 치러낸다. 관객들을 앞에 두고 노래를 부를 때면 여전히 긴장되지만 제주가 내게 선물해준 새로운 재미다.

가끔 우리를 불러주는 곳도 있다. 그동안 국민총파업지지 집회, 세월호 추모 촛불집회, 강정평화대행진 같은 중요한 행사에서 공연을 했다. 부족한 실력인데도 함께 뜻을 모으는 자리에 초청해 '가난한 예술인'의 반열에 올려주니 그저 감사할 따름이다.

그러는 사이에 카페 '소리'의 커피는 맛있어졌고, 저지리의 잘나가는 명소가 됐다. 추억을 파는 곳. 카페 '소리'의 주인장들이 원하는 카페의 모습처럼.

신원 오빠의 꿈도 이뤄졌다. 매일 LP를 틀어놓고 존경하는 음악인 조동익 씨가 찾아와주기를 오매불망 기다렸는데 공연 소식을 듣고 조동

익, 장필순 부부가 정말 찾아와준 것이다. 그들 앞에서 노래를 해야 하는 우리는 그야말로 긴장의 연속이었지만.

노래 실력이 썩 좋지는 않아도 대체할 여자 보컬이 마땅치 않다는 이유로 살아남은 나는 오늘도 다음 공연 연습을 시작한다.

여기가 끝은 아니야

△

"(시골) 체험은 이제 충분한 것 같은데 이제 그만 하고 시내로 나와요."

"왜요? 기사님 고향은 촌이 아니세요?"

"시골 맞아요. 제주 시내로 나온 지는 좀 됐고. 그런데 여기는 자연스러워도 너무 자연스러워요."

방역을 하러 온 할아버지 기사님 말씀이다. 날씨가 더워지면서 이름도 모르는 온갖 벌레들에 부대껴야 했던 지난여름의 괴로움을 잊지 못해 올해는 결국 방역 서비스를 받았다. 시골 출신의 할아버지 기사님이 보기에도 벌레들과 사투를 벌여야 하는 우리 집 환경이 어지간히 불편해 보였던 모양이다.

방역을 마치고 한숨 돌리러 옆집 카페 '소리'에 들렀다가 한 여행자와 말을 나누게 됐다. 그녀는 수십 번 넘게 제주로 여행을 왔고 이제는 제주로 이주해서 살 결심이 섰다고 했다. 나는 그녀에게 말했다.

"언니가 갖고 있는 제주라는 이상향을 어쩌면 잃게 될 수도 있어요."

"무슨 말이야?"

"언니가 힘들 때 언제나 위로해주던 제주가 생활의 터전이 되면 달라져요. 언니가 바랐던 탈출구, 이상향은 사라지는 거죠. 여기서 사는 게 힘들어지면 위로해줄 또 다른 곳을 찾아야 할지도 몰라요."

그녀는 고개를 주억거렸다. 제주의 젊은이들은 좋은 일자리를 찾아 육지로 나가기 바쁜데 육지의 젊은이들은 당장 일자리가 없어도 괜찮다며 섬으로 들어오기 바쁘다. 제주 사람들은 불편한 촌을 벗어나 산북(한라산 북쪽)으로, 시내로 나오는데 제주에 살러 온 육지 사람들은 촌으로, 더 깊은 촌으로 찾아 들어간다.

△

어느덧 서울에서 제주도로 옮겨 산 지 3년 차가 됐다. 살아보니 여행지로서의 제주와 삶의 터전으로서의 제주는 큰 간극이 있음을 알게 됐다. 물론 제주도는 내가 육지에서 경험해보지 못한 특별한 것들을 선물해줬다. 무엇보다 빌딩 숲이 아닌 탁 트인 하늘과 바다를 어렵지 않게 만날 수 있다. 같이 밥을 해 먹고 힘든 일이 생기면 의논할 수 있는 좋은 이웃들도 생겼다. 텃밭을 가꾸면서 땅의 소중함도 깨달았다. 비교적 여유 있는 저녁 시간이 생기면서 이웃들과 밴드를 결성해 공연을 하는 재미도 찾았다.

하지만 이런 면이 다는 아니다. 제주 이주 생활이 여유롭고 아름다운 일상만으로 존재하진 않는다는 뜻이다. 우아한 모습으로 유영하는 백조가 알고 보면 수면 아래에서 몹시 바쁘게 움직이고 있는 것과 같은 이치다. 모든 일에는 그 이면의 모습들이 존재하기 마련이다.

텃밭을 가꾸며 자신이 먹을 것을 직접 해결하기 위해서는 수시로 돋아나는 잡초를 제거해야 하는 수고로움이 따른다. 아름다운 바다는 가까이 있을지 모르지만 짜장면 한 그릇을 먹기 위해 차를 타고 나가야 하는 불편도 동시에 존재한다. 아름다운 전원 풍경에 둘러싸여 사는 것은 좋아 보이지만, 어느 날 부엌에 똬리를 틀고 있는 뱀과 예상치 못하게 만날 수도 있다. 힘차게 날아 들어오는 손가락만 한 바퀴벌레, 습한 날이면 기어들어 오는 지네와의 조우는 아름다운 제주의 삶을 소개하는 언론에선 좀처럼 등장하지 않는 일들이다.

△

자신의 성을 쌓고 그 안에서 모든 것을 해결할 수 있는 여건이 된다면 이런 문제들은 별것이 아닐지 모른다. 하지만 당신이 생각하는 제주는 어쩌면 그 제주가 아니다. 제주에 산 지 얼마 되지 않은 사람들의 이야기, 제주 정착의 장밋빛 생활기가 가득한 글에 현혹되지 말라는 소리다.

다양한 사람들이 몰려드는 이곳 제주는 해외 교민사회에서나 있을 법

한 일들이 일어나기도 한다. 이주자들 간에 돈을 떼먹고 육지로 사라지는 일, 확인 불가능한 부풀린 이력을 팔고 다니는 사람들, 자기 소유가 아닌 것을 자기 것이라 말하고 다니는 사기꾼, 현지 사정을 잘 모르는 이주민의 뒤통수를 치는 사례들.

제주도의 아름다운 자연 환경이 본 모습을 지키지 못하고 변해가는 과정을 지켜보는 일도 안타깝다. 외국 자본에 제주도가 잠식되지 않을까 하는 우려마저 제기되고 있기 때문이다. 제주도는 5억 원 이상의 부동산을 구입해 5년 이상 소유한 외국인에게 영주권을 주는 부동산 투자이민제를 시행하고 있다. 부동산 구매자들은 대부분 중국인이다. 이들은 카지노와 호텔 등 관광 산업에 주력한다.

중국인들이 사들인 알짜배기 제주 땅이 2009년 1만 9702제곱미터에서 2014년 592만 2327제곱미터로 늘었다는 신문기사를 읽은 적이 있다. 5년 새 약 300배가량 증가한 셈이다.

2014년 여름, 시진핑 중국 국가주석이 '세 닢 주고 집을 사고 천 냥 주고 이웃을 산다'라는 한국 속담을 인용해 화제가 됐다. 좋은 이웃을 갖기가 그만큼 어렵고 중요하다는 의미다. 시진핑이 무슨 속내로 이 속담을 언급했는지 알 수 없지만, 나는 현실적 의미에서 이 말에 맞장구를 쳤다. 인구 60만 명의 제주에서 어떤 이웃, 어떤 사람들과 어울려 사는지는 굉장히 중요하다.

마음 같아선 그가 인용한 속담을 따라 도로 천 냥을 주고 '당신네 이웃은 사양한다'라고 말하고 싶다. 하지만 이 환영 받지 못하는 중국의 이

옷들은 우리보다 돈이 많다. 도민 일부는 이들이 집단으로 거주할 휴양 단지가 산을 깎고 들어서는 모습을 안타깝게 지켜보고, 이들이 투자한 돈으로 시내 한복판에 카지노 타워가 올라갈까 걱정하고 있다.

△

"그럼에도 불구하고" 제주로 와야겠다면 준비가 필요하다. 먼저 제주로 이주한 이들이 가감 없이 전하는 이야기를 잘 들어야 한다. 철저한 사전조사가 선행되어야 하고 진정한 '비빌 언덕'이 되어줄 현지인들과의 인맥도 중요하다.

혹시 주변에 "제주는 전부 다 좋으니 무조건 이주하라"며 권하는 사람이 있거나 광고를 접한 적이 있다면, 술과 담배를 배워보겠다고 할 때 말리지 않고 부추기는 친구의 느낌을 떠올리기 바란다.

좋아하는 가수 하림의 노래 〈여기보다 어딘가에〉에 이런 대목이 있다.

나 또다시 이곳으로
돌아오기 위해서
이제 난 떠난다
크게 숨쉬며 돌아봄 없이
내가 가두었던 내 자유를 찾아

고마웠어, 나도

"남희 씨, 잘 지내요? 가을에 가려고 했는데 회사 일이 바빠 못 갔어.
이번 겨울엔 꼭 놀러 갈게."

"언니, 겨울에 우리 집 엄청 추운 거 알면서, 흐흐. 그래도 괜찮다면
얼마든지요. 보고 싶어요."

반가운 전화였다. '오월이네 집'에서 함께 살다가 어머니와 육지로 돌
아갔던 경희 언니. 반가운 목소리를 들으니 그동안 '오월이네 집'을 거
쳐 간 그녀들의 얼굴이 하나둘씩 떠올랐다. 그래, 어쩌면 이제 때가
됐는지도 모른다.

지난여름, 다섯 번째 입주자가 나간 뒤 함께 살 사람을 더 이상 들이
지 않았다. 마지막으로 같이 산 사람과는 생각만큼 많은 시간을 함께

보내지 못했다. 그녀는 그토록 고대하던 제주도에 와서 한껏 들떠 있었고, 의지할 사람도 필요했을 텐데 말이다. 하지만 안타깝게도 우리는 시간이 흐를수록 여러 면에서 잘 맞지 않았고 마침 그녀도 독립해서 살 집을 빨리 구하는 바람에 자연스럽게 헤어졌다. 비가 쏟아지던 날, 차 시트가 젖어 더러워지는 줄도 모르고 그녀의 짐을 나르며 이사를 도와주고 혼자 돌아오던 길, 그날도 역시 외롭고 쓸쓸했다.

서로 다른 누군가와 함께 산다는 것은 인격 수양을 위한 롤러코스터를 감내하는 일이다. 상대방도 마찬가지겠지만. 다시 한 번 깊은 깨달음이 몰려온다.

△

출퇴근을 하기 시작하면서 집 관리도 엉망이 됐다. 농가 주택은 도시의 아파트와 달라서 끊임없이 청소를 하고 주변 관리를 해야 하는데 주말이 와도 다른 일들에 치이면서 자꾸 소홀해졌다. 구월이와 생강이를 건사하는 일마저도 귀찮게 느껴지기 일쑤였다. 이런 상황에서 다시 누군가에게 함께 살자고 손을 내밀기가 미안하기도 하고, 스스로도 지치는 기분이었다. 결국 나는 당분간 혼자 지내보기로 했다.

생강이와도 헤어졌다. '마이 웨이'를 걷는 고양이와 다르게 내가 퇴근하기만을 목 빠지게 기다리는 생강이가 애처로워서 결국 카페 '소리'의 엄마 개 곁으로 돌려보냈다. 섣부른 욕심으로 데려왔다가 외로움만 안겨준 것 같아 미안했다.

△

셰어하우스 입주 문의는 간간이 계속 들어왔다. 하지만 여전히 사람들과 잘 지낼 자신이 없었다. 혼자 지내면 외롭고 무섭지 않느냐고 물어보는 이도 많지만, 무섭다고 생각하면 끝이 없고 그냥 살면 또 살아지기 마련이다. 이 무렵 읽은 일본 작가 마루야마 겐지의 시골 생활기 《시골은 그런 것이 아니다》를 보면, 시골은 생각보다 위험하니 침입자로부터 스스로를 보호하기 위해 집을 요새처럼 꾸밀 것 그리고 창을 만들어서 한 방에 보내는 연습을 해야 한다고 진지하게 충고한다. 그렇다고 내가 요새처럼 집을 꾸밀 수도 없고, 창술을 연습하는 것도 무리이지 않겠는가.

△

그사이에 지인의 친구분 딸이 '오월이네 집'에 열흘쯤 머물고 갔다. 육지에서 대안학교를 다니는 똘똘한 열일곱 살 민희는 식당 경영을 실습하려고 혼자 제주도에 왔는데 아마 나에 대한 첫인상이 그다지 좋지 않았을 것이다. 밤마다 취해서 집에 기어들어 오는 30대 중반의 여자. 그 무렵 나는 실연의 아픔을 겪느라 제정신이 아니었다.

어느 날 아침, 민희는 쓰러져 자고 있는 내 머리맡에 술 깨는 음료와 딸기우유를 챙겨놓고 실습 중인 식당으로 출근했다. 내가 아픈 이유가 몸이 아니라 허한 마음에 있음을 민희는 알고 있었다. 민희는 노란 손편지를 남기고 육지로 돌아갔다.

{ 남희언니에게 }

언니 10일 동안 고마웠어요. 모두요 ㅋㅋ.
언니가 기억에 남을 거예요♡ 수원이도요. ㄷ 악아고얌. ㅋㅋㅋ.
근데 정말 고마웠던 거요. 아마 한 데 백에 없는
소중하다 소중한 선물기를 내준거요. 언니도 많이 더웠을
텐데요! 원래 저도 언니한데 선물기 물려줘야 하는 거
알았는데 내가 더워서 ㅠ 죄송해요.
    언니 진짜 감사했고 다음에 제주도 다시 오셔요
맛있는 거 다 - 사드릴게요 ㅋㅋㅋ
    P.S. 많이 드시고 건강하세요. 언니가 먹는 양을 보니
왜 마른 지 알거 같더라고요.   잘지내요 ~!!

                    감사하는 마음의 담기동경

편지는 감동 그 자체였다. 이제 혼자 지내기를 그만할 때가 되었구나 싶었다. 함께 만드는 따뜻한 공기로 집 안을 다시 채우고 싶은 마음이 커졌다.

△

지난 주말, 아는 동네 형님의 손을 빌려 집 안팎에 새로 페인트칠을 했다. 무리하지 않고 주말마다 조금씩 집 단장을 하면서 앞으로 어떤 이들과 아웅다웅 함께하게 될지 상상해본다.

그리고 아예 집을 하나 더 빌렸다. 셰어하우스 2호다. 제주 시내권과 공항에서 멀지 않은 바닷가 쪽에 버려져 있던 집을 임대해 몇 달째 공사 중이다. 완전히 새로운 집으로 변신하면 신구간에 맞춰 입주 의식을 치르는 미션을 완수할 예정이다. 두 곳의 작은 집에서 다시 새로운 이야기들을 시작할 꿈에 한껏 부풀어 있다.

통시와 귤나무

△

'제주도 부동산이 미쳤다'고 한다. 집이고 땅이고 그 값이 천정부지로 치솟으니 말이다. 이주민이 제주에서 집을 구하기가 점점 어려운 상황에서 셰어하우스 2호를 얻었으니 나는 운이 좋은 편이라고 할 수 있다.

출퇴근의 어려움을 호소하면서 저지리 집의 계약 기간이 1년 밖에 남지 않았다고, 좀 더 나은 환경의 공간이 필요하다고 주변에 소문을 냈더니 폐가를 고쳐서 셰어하우스를 할 수 있도록 장기임대를 주겠다는 지인이 나타난 것이다.

집주인 상범 씨는 2년 전쯤 한 단체가 주최한 오름 탐방에서 만났다. 당시 나는 제주에 온 지 얼마 되지 않았고 〈오마이뉴스〉에 '서울 처녀

제주 착륙기'를 연재하고 있었는데 마침 그는 내 기사의 애독자였다. 우리는 그렇게 인연을 맺었다.

△

제주시 도평동에 위치한 새 집은 아담하지만 귤나무들이 제법 딸린 집이다. 시내권이긴 해도 동네 분위기는 신제주의 번잡함과는 거리가 멀었다. 바닷가도 가까워 아주 마음에 들었다.

폐가를 수리하는 대대적인 공사가 바로 시작됐고, 실측을 위해 집주인과 설계하는 분이 동행했다. 상범 씨 아버님도 오셨다.

"안녕하세요. 제가 이 집에 새로 살 사람입니다. 잘 부탁드립니다."

인사를 드리고 나서 상범 씨 아버님과 어느새 구경 오신 마을 어르신과 함께 마당에 둘러앉았다. 아버님은 집에 얽힌 이야기를 들려주셨다.

"이 집이 옛날엔 마을에서 제일 크고 좋은 집이었어. 지은 지 150년은 족히 된 집인데, 우리가 아홉 번째 주인이야. 원래 오라동에 있던 집을 분해해서 사 왔지. 우리 어머니가 아흔셋 되셨는데 지금도 이 집에 대해서는 정확히 기억을 하신다니까. 집을 싣고 오기로 한 사람들이 시간이 지났는데도 통 올 생각을 안 해서 가보니까 차바퀴가 빠져서 못 오고 있는 거야. 결국 마을 사람들이 집을 나눠서 이고 지고 왔다니까. 이 마룻바닥도 어머니가 직접 들고 오셨던 기억이 나."

귤나무들이 들어선 자리를 가리키며 말씀을 이어가셨다.

"귤나무는 70년대에나 들어온 거지. 그 전엔 여기 오두막 다섯 개에서 다섯 가구가 살았어. 4·3 때는 얼마나 고생을 했다고."

"4·3 때 몇 살이셨어요?"

"네 살이었지. 근데 기억이 나. 그때는 성냥이 귀해서 밥해 먹을 불을 구하기도 어려웠어. 어느 집에 불이 있으면 빌리러 가는 거야. 억새에 불을 붙여서 밥 지을 불로 썼지. 한 끼를 그렇게 해결하고 나면, 또 불이 없는 거야. 저녁 먹을 때는 또 불을 구해야 해. 불 하나로 온 마을이 빌려서 밥을 했지. 땔감 자체가 없었어. 짚으로 불을 땠지. 그때는 휴지가 어디 있나. 이 짚으로 뒤도 닦았지."

마당에는 통시가 그대로 남아 있었다. 아주 잘 보존되어 있어서 지금 사용해도 될 것 같았다.

"자네는 이 통시를 어떻게 하고 싶은가?"

"저는 그냥 두면 좋겠어요. 굳이 없앨 필요도 없으니 그대로 둬야 맞는 것 같아요."

△

100년 되었다는 마당의 감나무를 보며 상범 씨가 말했다.

"집 공사가 마무리되면 남희 씨가 입주하기 전에 일주일쯤 저희 할머니가 머무시도록 할게요. 할머니가 이 집에 추억이 많으셔서요."

할머니와 가족들이 이 집에 모이는 날, 단체 사진이라도 찍어드려야겠다고 생각했다. 그리고 이 자그마한 집을 천천히 다시 둘러봤다. 150년의 세월이 켜켜이 쌓이면서 수많은 일들이 있었을 것이다. 대대

로 토박이들이 살면서 만들었을 이야기에 앞으로는 나와 같은 이주민
들이 또 다른 재미있는 이야기들을 보탤 수 있으리라는 기대에 마음
이 설렜다.

육지에서 온 사람들이 많지 않은 동네라서 적응이 쉽지는 않겠지만,
이제까지 해온 대로 그저 열심히 살아갈 수밖에. 마을이 좀 더 활기를
띠면 좋겠다는 아버님의 바람이 꼭 이뤄지면 좋겠다. 그 활기찬 모습
이란 요즘 우리가 제주에서 느끼는 수상한 번잡함이 아님은 굳이 말
하지 않아도 되리라.

텔레비전에 나왔는데

△

"텔레비전에 내가 나왔으면 정말 좋겠네, 정말 좋겠네."

동네 꼬마가 이 노래를 부르며 지나가는데 쓸쓸한 기억이 떠올라 쓴 웃음이 났다. 나는 텔레비전에 나왔고, 기분이 '정말 좋지 않았다'.

한 공중파 방송의 취재 프로그램이었다. 서울에서 제주도로 이주한 지 몇 달 되지 않았을 때 방송작가가 연락을 해왔다. '그들은 왜 제주도로 가는가'라는 주제였다. 젊은이들이 육지를 떠나 제주도로 이주하는 현상에 대해 몇 사람을 인터뷰하고 취재하겠다는 것이다. 고민하다가 방송 일을 하는 친구에게 자문을 요청했다.

"인터뷰해도 될까? 방송에 나오면 엄마, 아빠가 좋아할 텐데……."

"글쎄, 난 가족이 출연한다고 하면 말릴 거야."

△

어릴 적, 회사원이던 아빠가 무슨 이유인지 저녁 뉴스에 나온다며 들떠 계셨다. 아빠는 집에 오자마자 흥분해서 온 친척에게 전화를 돌렸다.

"내가 이따 9시 뉴스에 나올 거니까 다들 잘 봐!"

아빠, 엄마, 오빠와 나는 텔레비전 앞에 옹기종기 모여 앉아 아빠의 모습이 나오기를 기다렸다. 그런데 앵커가 앉아 있는 데스크 뒤로 아빠의 모습이 배경처럼 훅 지나갔다. 상황 종료였다. 어느 광고 속 멘트처럼 '방금 뭐가 지나갔냐' 싶은 상황이었다. "이게 다야?"라는 말이 목구멍까지 올라왔지만 오빠와 나는 아무 말 하지 않았다. 어려도 눈치는 있었으니까.

공중파 방송 출연을 엄청난 일로 여겼던 아빠, 쓰라린 방송 출연의 트라우마(?)를 갖고 계실 아빠가 제주도에 사는 딸의 모습을 방송을 통해 보신다면 어떨까? 나를 더 이해해주실지도 모르잖아? 나는 방송작가에게 반 정도 승낙을 하고 말았다.

△

대평리 집으로 찾아온 방송작가는 내 또래였고 나이 지긋한 부장급 기자와 함께였다. 그런데 피디는 저 멀리서 이미 나를 향해 카메라를 돌리며 뒤따라 걸어오는 것 아닌가. '이게 뭐지?' 하는 언짢은 마음이 스쳤지만 다짜고짜 시작된 인터뷰는 정신없이 내 하루를 잡아먹었다. 그림이 부족하다는 이유로 민망한 연출도 부탁받았다. 흐뭇한 얼굴로

창가에 서서 한라산을 바라본다든지 대평리 바닷가에서 책을 보는 어이없는 장면을 연출하기도 했다(누가 바람 몰아치는 제주 바닷가 갯바위에 앉아 책을 본단 말인가!).

△

그렇게 내가 사는 모습을 찍어 간 그들은 1년 만에 다시 출연을 요청했다. 이번 방송의 제목은 '제주 이민, 그 후'이고 1년 전에 촬영한 사람들을 만나 후속편을 만든다고 했다. 원래 진행하던 아이템이 펑크가 나서 급하게 연락하게 됐다며 부장급 기자가 직접 전화를 걸어 거듭 재출연을 부탁했다.

얼마 뒤에 그 부장급 기자는 사람 좋은 웃음을 터트리며 저지리의 셰어하우스로 걸어 들어와 악수를 청했다. 몇 달 전부터 내가 직장에 다니고 있다는 사실을 알고 온 그들은 마치 지난 1년의 내 제주살이에서 궁금한 점이 그뿐이라는 듯 다시 시작한 직장 생활이 힘들지 않은지, 제주에서 사는 게 힘들지 않은지 자꾸 캐물었다.

서울의 '좋은 직장'을 때려치우고 제주도에 내려온 사람이 다시 취직을 하고 일을 한다니까 그들 눈에는 이상해 보였던 걸까? 평생 직장을 구하지 않고 무작정 놀고먹겠다는 목표로 제주도에 내려온 것도 아닌데 말이다. 물론 나는 굴하지 않았고, 하고 싶은 이야기를 다 했다.

"셰어하우스를 운영하면서 제주도에서 살고 싶어 하는 사람들과 함께 지내고 있어요. 마을 이웃들과 밴드를 만들어 종종 공연도 하는데 지금은 공동체를 이룬 것처럼 서로 도와가며 재미있게 살고 있죠. 그리고 지금 일하는 곳은 생활협동조합이고 예전보다 월급은 적지만 제주도 평균 수준이고 하는 일도 의미 있고 야근 없이 칼퇴근해서 저녁 있는 삶도 가능합니다."

그들은 내가 저녁을 먹고 설거지하는 모습까지 찍더니 아침에 도시락을 싸서 출근하는 모습도 꼭 찍어야겠다면서 다음 날 아침 일찍 다시 찾아왔다. 세차게 눈발 날리는 출근길에 동행한 그들은 회사에서 일하는 그림도 필요하다고 했다. 출근한 지 얼마 되지 않은 때라 회사에 민폐일 수 있어서 곤란하다고 거절했지만 막무가내였다. 결국 책상에 앉아 일하는 모습을 급하게 찍고서야 만족한 듯 돌아갔다.

△

이웃들과 저녁을 먹으며 방송을 봤다. 내 얼굴은 점점 어두워졌고 할 말을 찾지 못한 나는 분노의 소주를 들이켰다. 매일 하는 설거지가 그렇게 딱해 보이도록 방송에 나올 수 있다니! 난 정말 기겁했다. 차례로 등장한 인터뷰의 다른 주인공들도 모두 마찬가지였다. 생각 없이 무작정 제주도로 내려왔다가 힘들고 어렵게 살고 있는 실패자가 되어 있었다.

지난번 방송 출연자 중에 식당을 잘 운영해서 대박이 난 이주민은 제외되었고 대신 제주에서 살기를 포기하고 다시 육지로 돌아간 사람이 추가되었다. 내가 인터뷰한 대목에서 긍정적이고 의미 있다고 생

각한 부분은 전부 편집되었고 부정적인 부분만 확대되어 짜 맞춰졌다. 우리들의 평화로운 일상은 하나같이 힘겹고 가난해 보이도록 포장되었다.

인터뷰에 응했던 한 지인은 서울에서 방송을 본 친구가 "너 정말 괜찮은 거야?"라고 전화를 걸어왔다며 분개했다. 그의 떨리는 목소리를 듣는 내 가슴도 부들거렸다.

△

"서울에서 고연봉의 직장 생활을 접고 제주도로 내려갔지만, 다시 직장 생활을 시작한 조남희 씨!"

이 멘트가 계속 내 머릿속을 괴롭혔다. 다음 날 밀려오는 분노를 참지 못하고 방송사에 전화를 걸었다.

"부장님, 어떻게 편집을 그렇게 할 수가 있죠?"

"아니 뭐, 내가 의도적으로 그렇게 방송을 만들기라도 했다는 겁니까? 어쨌든 그렇게 생각한다면 미안하게 됐습니다."

전화상으로 찜찜한 사과를 받긴 했지만 전국 방송의 후유증은 적지 않았고 나의 분노는 며칠 동안 사그라지지 않았다.

흥분한 내가 제대로 전달을 했는지 모르겠지만 결국 하고 싶은 말은 이랬다.

"멀쩡한 사람을 왜 실패한 사람으로 만들어놓습니까? 제주도에 오면 다 한가하게 살아야 합니까? 취직해서 부지런히 일하면 실패자라는 건가요? 제가 사는 모습을 직접 보시고도 정말 그렇던가요? 저도 아직 결론 내리지 않은 제 삶을 무슨 권리로 무슨 기준으로 그렇게 쉽게 판단하십니까?"

△

조그마한 땅을 사서 건물을 짓고 그곳에 게스트하우스를 운영하겠다는 꿈을 이루기 위해 부족한 자금을 모으려고 동분서주 일하는 사람, 서울보다 제주에서 예술적 영감을 더 얻을 수 있다고 믿어 남편과 함께 내려와 마을에 자리 잡고 천천히 그 구상을 펼쳐나가고 있는 사람, 제주살이와 정착을 함께 고민하고 돕기 위해 셰어하우스를 운영하면서 새롭게 직장 생활을 시작한 나.

이런 우리들이 왜 제주에 제대로 정착하지 못한 채 불행하고 힘든 삶을 사는 이주민으로 그려졌을까? 육지에서 내려온 지 고작 1~2년인데 그 사이에 어떻게 살고 있어야 그들 눈에는 성공적으로 정착한 이주민일까? 돈이 아주 많아서 관리인에게 펜션 운영을 맡기고 낚시나 다니고 있든지, 억대 연봉을 실현한 도시 출신이면서도 귀농계의 행운아가 되어 있든지, 밀려드는 손님에 정신 못 차릴 정도로 대박 난 카페 한두 개쯤은 운영하고 있어야 하는 것일까?

그들이 생각하는 '성공'의 기준이 겨우 그런 것이라면 분노도 아깝다는 생각이 든다. 그들은 내게 후속 취재 1년 만에 인생의 결론을 바란 것 같지만 나는 아직 삶을 살아가는 중일 뿐이다. 더구나 그들의 기준에 맞춰 내 삶을 살 생각도 없다. 타인의 삶을 함부로 재단하고 결론을 요구할 자격은 누구에게도 없다.

방송을 본 아빠는 내게 이런 문자 메시지를 보내오셨다.

"우리 딸, 방송 잘 봤다. 네 뒤에는 항상 엄마, 아빠가 있다는 걸 잊지 마라."

분노는 다행히 애틋하게 승화될 수 있었다.

내가 가진 자유의 크기

△

제주도로 온 지 6개월이 되었을 무렵이다. 서울에서 직장 생활을 하면서는 갖지 못했던 넘치는 시간과 자유를 주체할 수 없을 때였다. 내일은 어디에 가서 올레길 코스를 걸어볼까? 아니면 집구석에 박혀 그동안 보려고 벼른 책을 하루 종일 볼까? 이런 행복한 고민이나 하는 날들이었다. 이런 나에게 누군가 말했다.

"곧 답답해질 거예요."

나보다 먼저 이주해 온 사람이었다.

"왜요? 이렇게 재밌고 할 게 많은데요?"

"좀 더 살아보면 알게 돼요."

그때만 해도 이해하지 못했다. 하지만 제주도에서 산 지 1년쯤 되어

갈 무렵 그 정체 모를 답답증이 드디어 찾아왔다. 육지가 보고 싶었다. 섬의 것과는 다른 육지의 것들이 보고 싶었다. 민둥오름이 아닌 육지의 웅장한 능선, 현무암이 아닌 그냥 돌, 곶자왈이 아닌 그냥 숲, 에메랄드 빛 바다가 아니라 햇살에 반짝반짝 빛나는 한강이 그리웠다. 심지어 배 타고 제주도로 넘어오기 전 장흥에서 보았던 푸른 논도 생각났다. 돌담으로 구획이 대강 나누어지는 제주도의 밭이 아니라 가지런한 육지의 논 풍경 말이다(서울에 살 때 논을 자주 본 것도 아닌데, 웃기는 일이다). 익숙한 홍대 거리, 익숙한 술집의 분위기도 그리웠다. 익명성이 살아 있는 도시의 그곳들이 그리워지고 있었다.

그런데 그리움과 답답함의 정체가 무엇인지 정확하지 않다는 게 문제였다. 밤 9시면 주변의 모든 식당과 상점이 문을 닫고, 차를 끌고 나가지 않으면 원하는 것을 얻을 수 없는 촌에 지친 걸까? 새로운 환경에 적응하는 데서 오는 피로 때문이라면 잠시 육지 나들이를 해서 쉬고 오면 그만일 것 같았다.

△

그래서 서울에 '놀러 갔다'. 익숙한 것들을 만나기 위해. 그런데 오랜만에 간 서울에서 막상 내가 느낀 것은 당황스럽게도 익숙함이 아닌 낯섦이었다. 절정은 지하철 2호선 신도림역. 쏟아져 나오는 사람들 속에서 나도 모르게 그대로 얼어붙어 서 있었다. 각자 갈 길을 재촉하며 사방에서 사람들이 밀고 들어오는데 나는 그 틈을 뚫고 앞으로 나아

가지 못했다.

"세상에, 사람이 이렇게 많다니!"

많은 사람들을 이렇게 한꺼번에 보는 경험이 너무 오랜만이었다. 제주도는 시내를 벗어나면 사람을 구경할 일이 별로 없다. 어딜 가도 사람들이 빽빽하게 들어선 광경을 볼 일이 거의 없는 것이다. 그렇지만 맙소사, 나는 서울 토박이가 아닌가.

냄새도 문제였다. 버스를 타도 지하철을 타도 옆자리, 뒷자리에 앉은 사람들에게서 나는 술 냄새며 고기 냄새가 못 견딜 정도로 역겨웠다. 이 또한 제주에서는 겪어보지 못한 일이다. 각자 차를 가지고 다니는 경우가 많고, 좁은 공간에 억지로 부대낄 일이 거의 없기 때문이다(대신 촌에는 거름 냄새가 엄청나다).

서울에서 대중교통을 이용할 때마다 불쾌한 일이 생기거나 서로 싸우는 사람들을 목격했다. 서울 사람들은 좁은 공간에서 복닥거리며 크고 작은 이유로 서로 짜증을 내고 있었다. 30년을 넘게 살아온 서울이 이런 곳이었음을 그새 잊어버린 듯 나는 모든 것이 너무나 낯설었다. 막상 그리워 올라온 서울에서는 이틀을 넘게 있기가 힘들었다. 결국 어서 내려가야지 하는 생각뿐이었다. 제주공항에 도착해 야자수와 한라산을 보자 왠지 모르는 안도감이 느껴졌다. 역시 시원하구나, 사람은 이런 곳에서 살아야지, 생각했다.

그런데 어느 날 정신을 차려보면 나는 다시 서울로 놀러 가고 있었다. 처음 서울에 갔을 때 느꼈던 답답함과 짜증도 다시 익숙해지면서 적응이 됐다. 제주도의 답답함과 서울의 답답함 사이를 오가다가 문득 이런 생각이 들었다.

"난 어디에 속하는 사람이야? 이건 서울도 아니고 제주도 아니야."

△

"나, 서울 왔어" 하면 다들 얼굴 한번 보자고 한다. "줄을 서시오" 하며 사람들을 만났다. 그런데 막상 서울의 지인들을 만나서 신나게 수다를 떨다 보면 나는 항상 제주도 이야기만 하고 있었다. 도지사가 또 무슨 사고를 쳤고, 어디에 무슨 카페가 생겼고…… 제주에 사는 사람들끼리 흔히 하는 이야기들이 쏟아져 나왔다. 친구들도 처음엔 재미있게 들어주지만 사실 서울 사람들에게 제주도는 그냥 멀리 떨어진 섬일 뿐이다. 그러면 나는 잠시 놀러 온 '제주도 사람'이 된 느낌이 든다. 대화는 단절되고 더 이상 내가 여기 속하지 않음을 절절하게 느낀다.

△

제주작가회의 계간지 《제주작가》에서 인터뷰를 요청해 응한 적이 있다. 인터뷰를 하러 온 이는 《탐라의 사생활》이라는 소설을 쓴 조중연 씨였다. 그는 나의 〈오마이뉴스〉 연재기사를 보고 연락을 했다. 그는 제주살이 12년 차였다. 제주살이 대선배와 나는 '우리는 어디에 속하는가'에 대해 이야기를 나눴다.

"10년 넘게 살면 주변에서 제주 사람으로 받아들여 주던가요?"

© 임종진

"나는 포기했어요. 그러면 편해요."

《제주작가》에 실린 인터뷰 제목은 이랬다. '뭉툭한 경계에 선 서울 처녀'. 아마도 나 역시 그처럼 포기하고 살아가게 될지 모른다. 어디에 속하는지의 문제는 점점 아무런 의미를 갖지 못할 것 같다는 생각도 든다. 그의 표현처럼, 그저 뭉툭한 경계에 서서 살아갈 뿐이다. 모든 삶이 그러하듯이.

△

태풍 너구리를 보낸 지 얼마 안 됐는데 또 다른 태풍이 온다고 한다. 태풍의 직접 영향권이 되는 제주도에 살다 보니 이제는 그냥 부는 바람과 태풍이 몰고 오는 바람의 느낌이 어떻게 다른지 여실히 느껴진다. 그저 버티고 있다 보면 언제 왔나 싶게 가버리는 수많은 태풍처럼, 제주라는 섬에는 그렇게 많은 사람들이 스쳐 지나간다.

사납게 몰아치는 비바람을 정신없이 맞고 서 있다 보면 이런 생각이 든다. 섬은 그냥 여기에 있었고, 나도 그냥 여기 잠시 있었을 뿐이라고. 중요한 것은 내가 어디에 서 있느냐, 어디에 살고 있느냐의 문제가 아니다. 그곳이 어디든 나는 길 위에 있고, 그 길 위에서 때로 울고 때로 웃으며 내가 가진 자유의 크기를 조금씩 늘려가려고 노력할 뿐이다.

제주의 가을이 다시 왔구나, 느끼며 차로 달리다 보니 새삼 처음 제주의 하늘과 바다에 푹 빠졌던 그 가을이 떠오른다. 제주는 이제 내가 처음 생각했던 그 제주가 아님을 안다. 가끔씩 팍팍하게 느껴질 때도 있다. 그래도 말없이 위로가 되어주는 것은 처음 발을 들인 그때나 지금이나 제주의 하늘과 바다다.

그렇게 나는 오늘도 제주에서의 하루를 이어간다.

인생의 결론을 묻지 마세요

2012년 여름, 차 한 대 달랑 끌고 들어와 제주라는 섬에서 산 지 벌써 3년이다. 품 안의 고양이가 다리에 쥐가 나도록 무거워진 것을 보면 시간이 그만큼 흐르긴 한 모양이다. 똥오줌도 제대로 못 가리던 녀석이 이젠 말대꾸도 하니 말이다.

불안한 걸음을 걷던 작은 새끼 고양이가 훌륭하고 진중한 사냥꾼이 되는 동안 나는 이곳 제주에서 어떻게 살아왔을까? 성장을 하긴 했을까? 나를 좀 더 아끼고 들여다보려고 했던 섬살이가 생각보다 길어졌다.

여전히 제주살이는 어렵고 조심스럽다. 소심한 성격이 어디 가지 않은 탓이다. 물론 그 소심함 덕에 겸손하게 제주를 알아가려고 노력했고 찬찬히 글로 남길 수 있었는지도 모르겠다.

글을 쓰는 동안 별다른 재주도 가진 것도 넉넉하지 못한 내가 낯선 곳에서 지치지 않고 살아갈 수 있도록 힘을 주는 소중한 인연들을 만났다.

나에게 글쓰기는 불편하고 거추장스럽게 느껴졌던 껍데기를 버리고, 솔직하고 간소한 삶을 살자는 다짐을 스스로 돌아보는 과정이기도 했다. 남들이 잘 말하지 않거나 꺼리는 이야기를 생활 속에서 있는 그대로 보여주고 싶은 마음도 있었다. 그래야 쓰는 이도 읽는 이도 의미를 가질 수 있을 것 같았다.

온 세상이 휴식과 힐링을 말한다. 지금 당장이라도 자신의 꿈을 위해 숨 막히는 일상에서 탈출하라고 속삭인다. 한편으론 그럴싸하지만 현실의 견고한 벽은 늘 새로운 불안을 만들어낸다.

제주는 어느새 탈출한 자들이 몰려드는 최고의 공간이 되어버렸고 언론에선 귀농과 귀촌의 성공담을 소개하며 이를 부추기지만 삶과 현실은 그렇게 녹록하지 않다.

이런 세상에서 솔직한 경험담, 삶과 사람의 속살을 담은 제주살이 이야기가 필요하지 않을까? 책을 내놓는 부끄러움을 이렇게 감춰본다.

마지막 원고를 쓰다가 여러 생각에 머리가 복잡하고 헛헛한 마음이 들어 평소 좋아하던 김영갑 갤러리 두모악에 갔다. 오랜만의 걸음이었는데 입구 외벽에 붙어 있는 글귀가 새삼 가슴을 울려왔다.

우리가 항상 유토피아적 삶을 꿈꾸듯 제주인들은 수천 년 동안 상상 속의 섬 이어도를 꿈꾸어 왔다. 제주를 지켜온 이 땅의 토박이들은, 그 꿈이 이루어지기 위해서는 일상적 삶에 절약, 성실, 절제, 인내, 양보가 보태져야 함을 행동으로 내게 가르쳐 주었다. 꿈은 그냥 이루어지는 것이 결코 아니다. 아무리 세상이 변하고 발전한다 하더라도 나(제주)다움을 지키지 못한다면 꿈은, 영원히 꿈에 머문다. 제주인들처럼 먼저 행동으로 실천할 때 이어도의 꿈은 반드시 이루어진다.

— 김영갑

고작 3년을 이곳에서 살았을 뿐인데 종잡을 수 없이 부는 바람처럼 제주는 그사이 많이 변했다. 내가 그랬듯이 육지 사람들은 계속 섬으로 왔다. 당장 살 집을 구하지 못해 발을 동동 구르면서도 '이어도의 꿈'에 부풀어 섬을 종횡무진 달렸다.

사람만 들고 나는 건 아니었다. 사람들이 몰려들면서 섬의 땅과 바다에는 흔적이 남았다. 섬은 내가 처음 발을 들였을 때도 그랬고 지금도 여전히 몸살을 앓고 있다. 그런 섬을 지켜보고 있으면 나 또한 아픔을 보탠 것 같아 죄인이 된 마음마저 든다.

토박이들의 삶을 존중하고, 제주가 제주다움을 지킬 수 있도록 하는 것은 제주를 여행지로 즐겨 찾든 제주에 살고 있든 모든 제주인들의 몫이다. 제주의 바람과 파도처럼 우리 인생의 고단한 길도 어느 만큼 어디로 흘러갈지 알 수 없지만 제주라는 아름다운 섬은 흔들리는 우리를 언제나 말없이 넉넉하게 받아주고 있으니 말이다.

사람들은 머물다가 떠난다. 나 또한 그럴 것이다. 당장은 제주라는 섬의 아름다움과 신비함에 사로잡혔다 해도 머지않아 다시 익숙해지고 또 다른 길을 찾게 될 것이다. 어디에서든 삶은 지속되고, 익숙함 속에서 새롭게 가슴 떨리는 것을 부단히 찾는 일은 누가 대신해줄 수 없는 각자의 몫이다.

그러니 인생의 결론을 앞서 묻지 말았으면 한다. 제주에서의 내 삶이 더는 특별하지 않음을 이미 충분히 말했으니까. 더구나 정해진 답도 없는 것이 인생이니까.

마지막으로 이름 없는 이가 꾸준히 글을 쓸 수 있도록 기회를 마련해준 오마이뉴스와 오마이북에 고마운 마음을 전한다. 잔소리하는 선생이 멀리 있다는 이유로 카메라를 잘 들지 않았던 부실한 제자를 위해 아낌없이 좋은 사진을 내주신 달팽이사진골방 임종진 작가님께도 감사 인사를 드린다.

2015년 2월
그대와 나의 '이어도의 꿈'이 이루어지기를 바라며
조남희

푸른 섬 나의 삶
서울 여자의 제주 착륙기

1판 1쇄 펴낸날 | 2015년 3월 5일
1판 2쇄 펴낸날 | 2015년 4월 17일

지은이 조남희
펴낸이 오연호
본부장 김병기
편집장 서정은 편집 차경희 마케팅 황지희 관리 문미정

펴낸곳 오마이북
등록 제313-2010-94호 2010년 3월 29일
주소 서울시 마포구 월드컵북로 396 누리꿈스퀘어 비즈니스타워 18층 (121-270)
전화 02-733-5505 팩스 02-3142-5078
홈페이지 book.ohmynews.com 이메일 book@ohmynews.com
페이스북 www.facebook.com/Omybook

책임편집 서정은
디자인 여상우
인쇄 천일문화사

ISBN 978-89-97780-15-0 03810

이 도서의 국립중앙도서관 출판예정도서목록(CIP)은 서지정보유통지원시스템 홈페이지(http://seoji.nl.go.kr)와
국가자료공동목록시스템(http://www.nl.go.kr/kolisnet)에서 이용하실 수 있습니다.
(CIP제어번호: CIP2015004652)

오마이북은 오마이뉴스에서 만드는 책입니다.